Kerrod, Robin
Etoiles et
planetes

Étoiles
et planètes

Le télescope spatial Hubble

Traces de particules de haute énergie
dans un accélérateur de particules

La sonde Magellan en orbite autour de Vénus

Jupiter et son satellite Io

Le mont Olympe, volcan géant martien

Surface de Mars

Buste du dieu romain Jupiter

Étoiles
et planètes

par

Robin Kerrod

Chandra, télescope spatial
d'observation aux rayons X

LÉS YEUX DE LA DÉCOUVERTE

GALLIMARD JEUNESSE

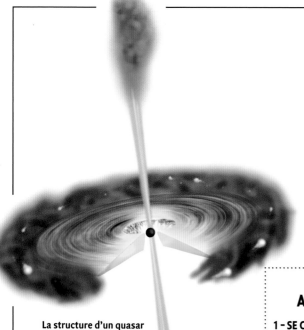

La structure d'un quasar

Mars, la planète rouge

Spectroscope

La Terre

Le Very Large Array, radiotélescope au Nouveau-Mexique

COMMENT ACCÉDER AU SITE INTERNET DU LIVRE

1 - SE CONNECTER
Tapez l'adresse du site dans votre navigateur puis laissez-vous guider jusqu'au livre qui vous intéresse :
http://www.decouvertes-gallimard-jeunesse.fr/9+

2 - CHOISIR UN MOT CLÉ DANS LE LIVRE ET LE SAISIR SUR LE SITE
Vous ne pouvez utiliser que les mots clés du livre (inscrits dans les puces grises) pour faire une recherche.

3 - CLIQUER SUR LE LIEN CHOISI
Pour chaque mot clé du livre, une sélection de liens Internet vous est proposée par notre site.

4 - TÉLÉCHARGER DES IMAGES
Une galerie de photos est accessible sur notre site pour ce livre. Vous pouvez y télécharger des images libres de droits pour un usage personnel et non commercial.

IMPORTANT
- Demandez toujours la permission à un adulte avant de vous connecter au réseau Internet.
- Ne donnez jamais d'informations sur vous.
- Ne donnez jamais rendez-vous à quelqu'un que vous avez rencontré sur Internet.
- Si un site vous demande de vous inscrire avec votre nom et votre adresse e-mail, demandez d'abord la permission à un adulte.
- Ne répondez jamais aux messages d'un inconnu, parlez-en à un adulte.

NOTE AUX PARENTS : Gallimard Jeunesse vérifie et met à jour régulièrement les liens sélectionnés, leur contenu peut cependant changer. Gallimard Jeunesse ne peut être tenu pour responsable que du contenu de son propre site. Nous recommandons que les enfants utilisent Internet en présence d'un adulte, ne fréquentent pas les chats et utilisent un ordinateur équipé d'un filtre pour éviter les sites non recommandables.

Lever de soleil sur le monument mégalithique de Stonehenge (Grande-Bretagne)

Collection créée par Pierre Marchand et Peter Kindersley

Édition originale parue sous le titre:
Eyewitness Guide Universe
Copyright © 2003 Dorling Kindersley Limited, Londres

ISBN 978-2-07-061754-8
Copyright © 2003-2008 Éditions Gallimard Jeunesse, Paris
Loi n° 49-956 du 16 juillet 1949
sur les publications destinées à la jeunesse
Premier dépôt légal : mai 2008
Dépôt légal : mars 2009
Numéro d'édition : 171333

Imprimé en Chine par Toppan Printing Co., (Shenzen) Ltd

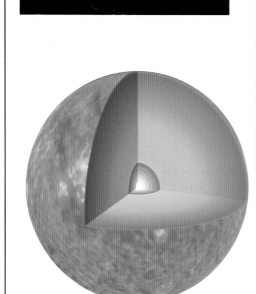

Structure interne d'une étoile supergéante

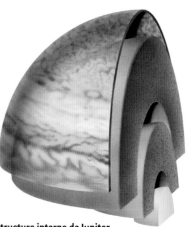

La structure interne de Jupiter

Sommaire

La sonde spatiale
NEAR-Shoemaker

QU'EST-CE QUE L'UNIVERS ?

L'Univers est constitué de tout ce qui a existé dans le passé, existe aujourd'hui et existera dans l'avenir. C'est l'espace, le cosmos considéré dans sa totalité, peuplé d'innombrables galaxies, traversé par les rayons lumineux et quantité d'autres radiations. Cet Univers est incroyablement vaste. Lorsque nous scrutons le ciel nocturne vers ses profondeurs insondables, les étoiles que l'on voit, bien que distantes de plusieurs milliards de kilomètres, ne sont en fait que de proches voisines ; les plus distantes sont indétectables à l'œil nu. Et, depuis la nuit des temps, les étoiles fascinent l'homme. Cela fait au moins 5 000 ans que les astronomes les étudient de façon systématique. Mais si l'astronomie est probablement la plus ancienne des sciences, elle connaît, depuis le début de son histoire, une perpétuelle évolution.

@ ►►
Univers

LE VAISSEAU TERRE

Les astronautes d'Apollo 8 ont été les premiers à voir notre planète flottant toute seule dans l'Univers, en 1968, alors qu'ils se dirigeaient vers la Lune. Ceux qui les avaient précédés dans l'espace étaient restés trop près de la Terre pour la voir dans son ensemble. De fait, notre Terre est comme un vaisseau spatial, petit joyau d'un bleu d'azur parsemé de nuages, le seul endroit connu où il y ait de la vie. Et c'est pour cela qu'elle revêt, pour nous Terriens, une si grande importance. Replacée dans le contexte de l'Univers considéré dans sa globalité, elle est totalement insignifiante.

> *« L'histoire de l'astronomie est une histoire d'horizons qui toujours s'éloignent. »*
>
> EDWIN HUBBLE
>
> Astronome américain ayant découvert l'existence de galaxies au-delà de la nôtre

LES PREMIERS ASTRONOMES

Il y a quelque 4 000 ans, les ancêtres des Britanniques connaissaient assez bien le ciel pour construire ce que certains considèrent comme le premier observatoire : Stonehenge. Les cercles de mégalithes et de pierres dressées plus petites qui le composent comportent des alignements marquant des positions cruciales du Soleil et de la Lune au cours de l'année. Bien d'autres monuments dans le monde sont aussi construits sur des alignements astronomiques.

Tablette astrologique babylonienne

Soleil gravitant autour de la Terre

La Terre au centre de l'Univers selon Ptolémée

ASTROLOGIE

Les prêtres de l'ancienne Babylone regardaient le ciel pour y déceler les bons et mauvais signes qui, pensaient-ils, pouvaient affecter les gens et les affaires d'État. L'idée selon laquelle ce qui se passe dans le ciel est susceptible d'affecter les vies humaines formait les bases de l'astrologie, une croyance qui eut de l'influence pendant des milliers d'années et qui a encore des adeptes de nos jours.

L'UNIVERS SELON PTOLÉMÉE

Le dernier grand astronome de la période classique, un Grec d'Alexandrie du nom de Ptolémée, résuma les anciens concepts cosmologiques vers l'an 150. Selon lui, la Terre se trouvait au centre de l'Univers ; le Soleil, la Lune et les planètes tournaient en cercle autour d'elle, le tout se trouvant à l'intérieur d'une sphère d'étoiles fixes.

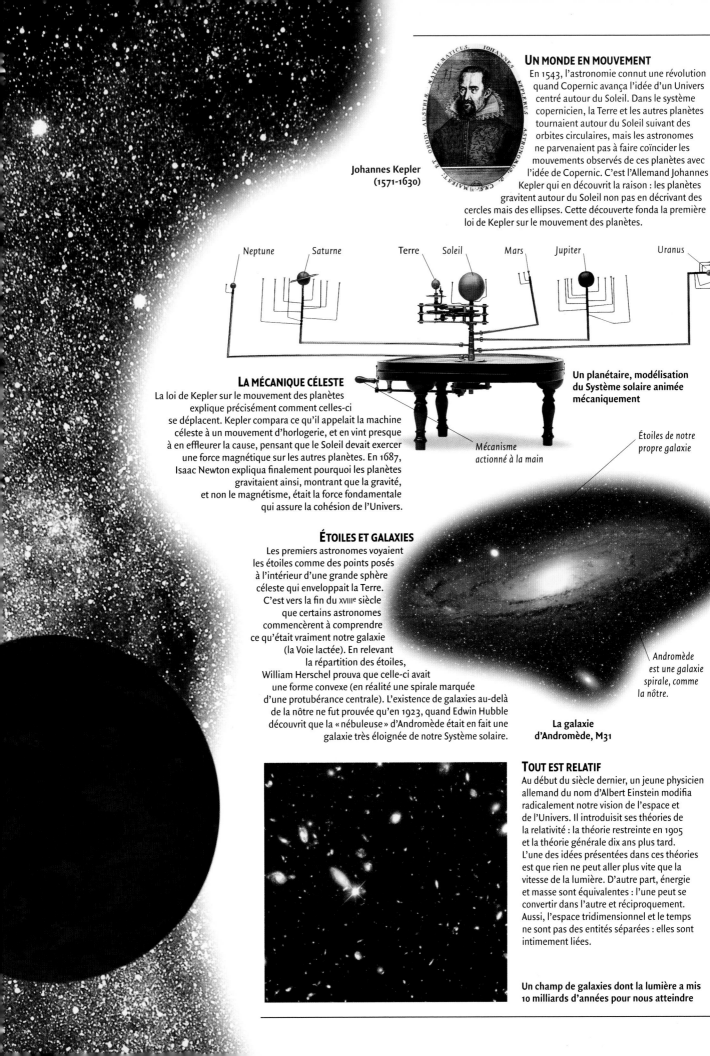

UN MONDE EN MOUVEMENT

En 1543, l'astronomie connut une révolution quand Copernic avança l'idée d'un Univers centré autour du Soleil. Dans le système copernicien, la Terre et les autres planètes tournaient autour du Soleil suivant des orbites circulaires, mais les astronomes ne parvenaient pas à faire coïncider les mouvements observés de ces planètes avec l'idée de Copernic. C'est l'Allemand Johannes Kepler qui en découvrit la raison : les planètes gravitent autour du Soleil non pas en décrivant des cercles mais des ellipses. Cette découverte fonda la première loi de Kepler sur le mouvement des planètes.

Johannes Kepler
(1571-1630)

Neptune Saturne Terre Soleil Mars Jupiter Uranus

Un planétaire, modélisation du Système solaire animée mécaniquement

LA MÉCANIQUE CÉLESTE

La loi de Kepler sur le mouvement des planètes explique précisément comment celles-ci se déplacent. Kepler compara ce qu'il appelait la machine céleste à un mouvement d'horlogerie, et en vint presque à en effleurer la cause, pensant que le Soleil devait exercer une force magnétique sur les autres planètes. En 1687, Isaac Newton expliqua finalement pourquoi les planètes gravitaient ainsi, montrant que la gravité, et non le magnétisme, était la force fondamentale qui assure la cohésion de l'Univers.

Mécanisme actionné à la main

Étoiles de notre propre galaxie

ÉTOILES ET GALAXIES

Les premiers astronomes voyaient les étoiles comme des points posés à l'intérieur d'une grande sphère céleste qui enveloppait la Terre. C'est vers la fin du XVIIIe siècle que certains astronomes commencèrent à comprendre ce qu'était vraiment notre galaxie (la Voie lactée). En relevant la répartition des étoiles, William Herschel prouva que celle-ci avait une forme convexe (en réalité une spirale marquée d'une protubérance centrale). L'existence de galaxies au-delà de la nôtre ne fut prouvée qu'en 1923, quand Edwin Hubble découvrit que la « nébuleuse » d'Andromède était en fait une galaxie très éloignée de notre Système solaire.

Andromède est une galaxie spirale, comme la nôtre.

La galaxie d'Andromède, M31

TOUT EST RELATIF

Au début du siècle dernier, un jeune physicien allemand du nom d'Albert Einstein modifia radicalement notre vision de l'espace et de l'Univers. Il introduisit ses théories de la relativité : la théorie restreinte en 1905 et la théorie générale dix ans plus tard. L'une des idées présentées dans ces théories est que rien ne peut aller plus vite que la vitesse de la lumière. D'autre part, énergie et masse sont équivalentes : l'une peut se convertir dans l'autre et réciproquement. Aussi, l'espace tridimensionnel et le temps ne sont pas des entités séparées : elles sont intimement liées.

Un champ de galaxies dont la lumière a mis 10 milliards d'années pour nous atteindre

NOTRE PLACE DANS L'UNIVERS

Pour nous, êtres humains, notre planète est ce qu'il y a de plus important. Le temps où l'on pensait qu'elle était le centre de l'Univers n'est, somme toute, pas très lointain. Mais on sait aujourd'hui que la vérité est tout autre : dans l'Univers pris dans sa globalité, la Terre n'a absolument rien de particulier. Elle est une insignifiante masse rocheuse tournant autour d'une étoile très ordinaire, dans une galaxie ordinaire située dans un coin comme un autre de l'espace. Personne ne connaît la taille exacte de cet Univers. Mais les astronomes détectent aujourd'hui des objets célestes si éloignés que leur lumière a mis plus de 12 milliards d'années à nous parvenir, ce qui les situe à quelque 120 millions de millions de milliards de kilomètres – une distance qui dépasse notre entendement.

Mappemonde médiévale

UN PETIT COSMOS

Au Moyen Age, avant les grands voyages de découverte et d'exploration qui débutèrent au XVe siècle, on pensait que la Terre constituait à elle seule l'Univers. La plupart des gens soutenaient l'idée d'une Terre plate : si l'on allait trop loin, l'on arriverait au bord du monde et l'on risquerait de tomber dans les abîmes sans fond.

À L'ÉCHELLE DE LA LUMIÈRE

Notre insignifiance dans l'immensité de l'Univers est représentée par cette suite d'images allant d'éléments à échelle humaine jusqu'à l'incommensurable immensité de l'espace intergalactique. Pour mieux appréhender l'échelle des distances mises en jeu, on peut considérer le temps qu'il faudrait pour voyager d'un endroit à un autre à la vitesse de la lumière, qui est de 300 000 km/s. Les astronomes utilisent fréquemment l'année-lumière comme unité de distance cosmique. C'est la distance parcourue par la lumière en une année, soit 9 460 milliards de km.

A des milliers de kilomètres de la Terre, la masse des continents se distingue nettement sur le bleu des océans.

Le nuage de Oort, un amas de corps glacés semblables à ceux qui constituent les comètes, forme une sorte de frontière extérieure tout autour du Système solaire. Il faudrait plus de six mois pour l'atteindre, en voyageant à la vitesse de la lumière.

Coureurs d'un marathon traversant un pont

Une ville vue à des centaines de kilomètres d'altitude par un satellite en orbite

Dans le Système solaire, la Terre est la troisième planète à partir du Soleil. Il faudrait plus de huit minutes pour atteindre le Soleil en voyageant à la vitesse de la lumière.

L'UNIVERS DE NOTRE POINT DE VUE

Nous regardons l'Univers depuis l'intérieur de notre galaxie, dont la structure est une spirale en forme de disque aplati, avec une protubérance centrale. Ce disque aplati nous apparaît donc, dans le ciel nocturne, sous la forme d'une bande dans laquelle la concentration d'étoiles est plus forte que partout ailleurs : la Voie lactée, qui est, en fait, notre disque galactique vu en coupe. Dans cette direction, notre galaxie s'étend sur des dizaines de milliers d'années-lumière. De chaque côté de la Voie lactée, nous regardons vers l'espace intergalactique, où la densité d'étoiles est beaucoup plus faible. En combinant les images-satellites du ciel prises dans toutes les directions, on peut reconstituer une vue d'ensemble de l'Univers observé depuis l'intérieur de notre galaxie (à gauche).

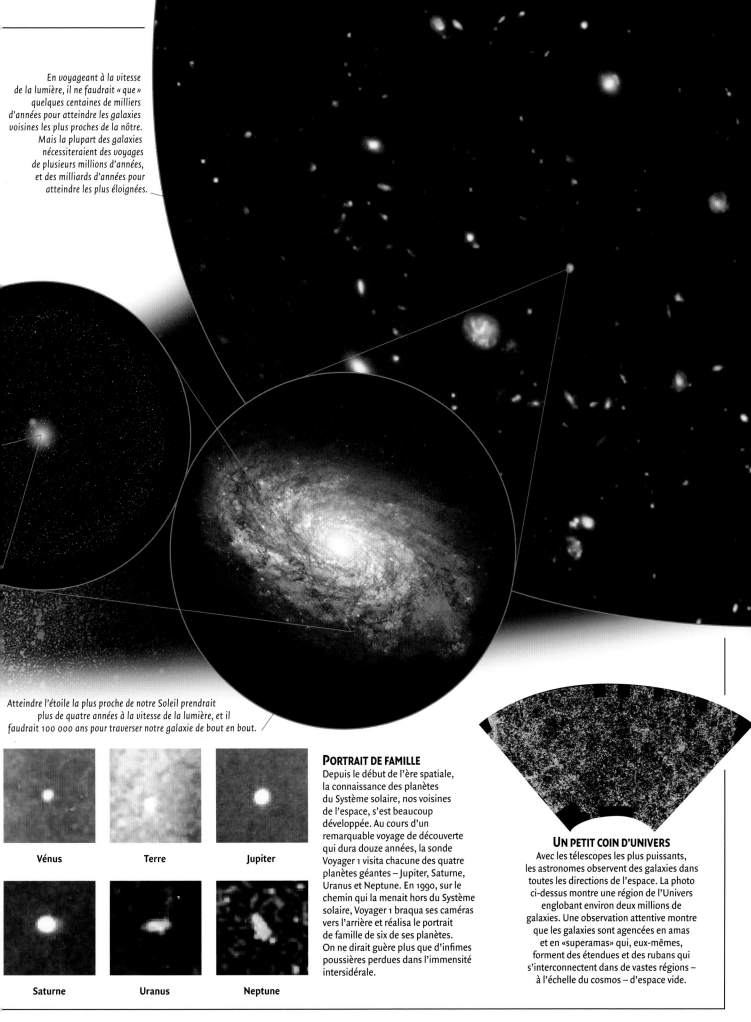

En voyageant à la vitesse de la lumière, il ne faudrait « que » quelques centaines de milliers d'années pour atteindre les galaxies voisines les plus proches de la nôtre. Mais la plupart des galaxies nécessiteraient des voyages de plusieurs millions d'années, et des milliards d'années pour atteindre les plus éloignées.

Atteindre l'étoile la plus proche de notre Soleil prendrait plus de quatre années à la vitesse de la lumière, et il faudrait 100 000 ans pour traverser notre galaxie de bout en bout.

Vénus

Terre

Jupiter

Saturne

Uranus

Neptune

PORTRAIT DE FAMILLE
Depuis le début de l'ère spatiale, la connaissance des planètes du Système solaire, nos voisines de l'espace, s'est beaucoup développée. Au cours d'un remarquable voyage de découverte qui dura douze années, la sonde Voyager 1 visita chacune des quatre planètes géantes – Jupiter, Saturne, Uranus et Neptune. En 1990, sur le chemin qui la menait hors du Système solaire, Voyager 1 braqua ses caméras vers l'arrière et réalisa le portrait de famille de six de ses planètes. On ne dirait guère plus que d'infimes poussières perdues dans l'immensité intersidérale.

UN PETIT COIN D'UNIVERS
Avec les télescopes les plus puissants, les astronomes observent des galaxies dans toutes les directions de l'espace. La photo ci-dessus montre une région de l'Univers englobant environ deux millions de galaxies. Une observation attentive montre que les galaxies sont agencées en amas et en «superamas» qui, eux-mêmes, forment des étendues et des rubans qui s'interconnectent dans de vastes régions – à l'échelle du cosmos – d'espace vide.

QUATRE FORCES POUR UN UNIVERS

L'Univers est constitué d'îlots de matière dispersés dans un vaste océan d'espace vide. L'énergie le parcourt sous forme de lumière et d'autres radiations. Il existe des lois et quatre forces fondamentales qui déterminent l'aspect et le comportement de la matière. La plus forte de ces quatre forces (la force nucléaire forte) maintient les particules assemblées dans le noyau de l'atome. La force nucléaire faible et la force électromagnétique agissent également au niveau de l'atome. L'électromagnétisme lie les électrons au noyau ; il est aussi à l'origine de l'électricité et du magnétisme. La gravité est la plus faible de ces forces, mais c'est celle qui agit sur les distances les plus grandes en assurant la cohésion de l'Univers.

Goutte d'eau

Molécule d'eau constituée d'un atome d'oxygène et deux atomes d'hydrogène

Dans l'atome, les électrons gravitent autour d'un minuscule noyau.

Les protons ont une charge électrique positive.

Les électrons ont une charge négative.

Les neutrons n'ont pas de charge électrique.

Noyau

À L'INTÉRIEUR DES ATOMES

Les atomes qui constituent la matière ne sont pas indivisibles, comme le pensaient jadis Théocrite ou Dalton. Ils sont eux-mêmes constitués de particules subatomiques plus petites. Les trois particules principales sont les protons, les neutrons, et les électrons. On trouve les protons et les neutrons dans le noyau, au centre d'un atome, tandis que les électrons gravitent en orbite autour de celui-ci.

ATOMES ET ÉLÉMENTS

Le philosophe grec Empédocle (v. 490-v. 430 av. J.-C.) pensait que la matière était composée de quatre ingrédients ou éléments – le feu, l'air, l'eau et la terre. Son confrère Démocrite (v. 460-v. 370 av. J.-C.) pensait au contraire que la matière était faite de minuscules éléments indivisibles qu'il appelait atomes. Ses idées furent oubliées jusqu'à ce que le chimiste anglais John Dalton (1766 – 1844) jette les fondations de la théorie atomique moderne, en 1808. La matière est faite de différents éléments chimiques : chacun est unique car il est constitué de différents atomes.

Empédocle

Protons et neutrons sont constitués de particules encore plus petites : les quarks.

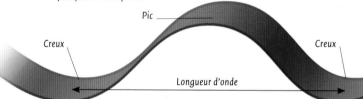

**Ondes radio
(longueur d'onde 1 mm ou plus)**

Pic

Creux

Creux

Longueur d'onde

LES ONDES ÉLECTROMAGNÉTIQUES

Les radiations (ou rayonnements) sont des ondes électromagnétiques. Celles-ci sont des trains de perturbations électriques et magnétiques que l'on représente sous la forme de courbes « sinusoïdales », c'est-à-dire des courbes marquées par une suite de pics et de creux alternant à un rythme régulier. Il existe de nombreux types de radiations qui diffèrent par leur longueur d'onde, qui est la distance séparant deux pics (ou deux creux) successifs. La lumière visible est la radiation que nos yeux sont capables de détecter. Sa longueur d'onde est comprise entre 390 et 700 nanomètres (nm) : nous la percevons sous forme de couleurs allant du violet au rouge (un nanomètre est un milliardième de mètre). Toutes les longueurs d'ondes plus courtes que celle de la lumière violette et plus longues que celle de la lumière rouge sont invisibles ; elles constituent d'autres types de radiations. Les rayons gamma ont une longueur d'onde d'une fraction de nanomètre, alors que celles des ondes radio peuvent atteindre des kilomètres de long.

Traces de particules dans une chambre à bulles, obtenues au Centre européen de recherche nucléaire (CERN, Genève)

Les deux mêmes pôles d'un aimant se repoussent.

La limaille de fer révèle les lignes invisibles d'un champ magnétique.

LE MAGNÉTISME

Le magnétisme est la force qui fait que les aimants attirent la limaille de fer. La Terre possède un champ magnétique et se comporte, de ce fait, comme un aimant. Placé en suspension, c'est-à-dire libre de ses mouvements, un aimant prend l'alignement nord-sud, selon la direction du champ magnétique de notre planète. Ce champ magnétique s'étend loin dans l'espace, créant autour de la Terre une région en forme de bulle appelée magnétosphère. D'autres planètes ont de puissants champs magnétiques, ainsi que le Soleil et les étoiles.

EXPLORER L'ATOME

Pour étudier la structure des atomes, les physiciens utilisent des machines incroyablement puissantes appelées accélérateurs de particules, ou collisionneurs. Ces appareils géants accélèrent des faisceaux de particules subatomiques et provoquent des collisions entre elles. La force des collisions génère des pluies de particules subatomiques différentes, ce qui laisse des traînées de petites bulles dans les détecteurs appelés chambres à bulles.

LA GRAVITÉ

Le scientifique anglais Isaac Newton (1642–1727) a établi la loi fondamentale de la gravité qui veut que tout corps attire un autre corps avec une force proportionnelle à sa masse. Plus un corps est massif, plus forte est son attraction gravitationnelle. Ainsi, avec près de 100 fois la masse de la Terre, Saturne génère une énorme gravité. Sa force d'attraction maintient des anneaux de particules autour de son équateur et au moins trente satellites en orbite. A son tour, Saturne est, comme toutes les planètes, sous l'emprise de la gravité du Soleil. La force gravitationnelle du Soleil s'étend à des milliards de kilomètres dans l'espace.

Saturne, ses anneaux, et deux de ses satellites, photographiés par le télescope spatial Hubble

« *Ce qu'il y a d'incompréhensible avec le monde, c'est qu'il est compréhensible.* »

ALBERT EINSTEIN

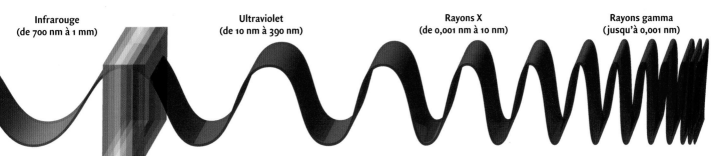

Infrarouge
(de 700 nm à 1 mm)

Ultraviolet
(de 10 nm à 390 nm)

Rayons X
(de 0,001 nm à 10 nm)

Rayons gamma
(jusqu'à 0,001 nm)

Lumière visible
(de 390 nm à 700 nm)

Le télescope européen
à infrarouge ISO

Vue de l'étoile Rho d'Ophiuchus par ISO

L'ASPECT CACHÉ DE L'UNIVERS

De nos yeux, nous voyons l'Univers tel qu'il apparaît en lumière visible. Mais l'Univers émet d'autres radiations en longueurs d'ondes invisibles, allant des rayons gamma aux ondes radio. Avec des radiotélescopes terrestres, on peut étudier les ondes radio venues du ciel. Les autres ondes invisibles ne peuvent être étudiées que depuis l'espace, grâce à des satellites. Si nous pouvions voir toutes ces longueurs d'ondes, l'Univers nous apparaîtrait sous un autre aspect.

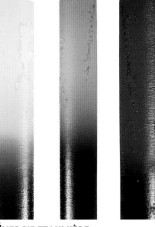

ÉNERGIE ET LUMIÈRE

Le métal chauffé passe du gris au rouge foncé, devient rouge vif, puis d'un jaune tirant vers le blanc. La température s'élevant, il émet une lumière de longueur d'onde plus courte. La même chose se produit dans l'espace – les étoiles les plus froides (rouges) ont une température inférieure à 3 000 °C, tandis que les plus chaudes (d'un blanc tirant vers le bleu) ont une température plus de dix fois supérieure. Des objets encore plus chauds, d'une énergie plus élevée, émettent surtout des rayons ultraviolets et des rayons X.

AU COMMENCEMENT DE L'UNIVERS ET DU TEMPS

Nous avons une idée assez précise de ce à quoi ressemble l'Univers de nos jours et des phénomènes qui s'y déroulent. Mais d'où vient-il ? Quel âge a-t-il ? Quelle a été son évolution ? Quel sera son avenir ? La branche de l'astronomie qui étudie ces questions et tente d'y répondre s'appelle la cosmologie. Les cosmologistes pensent savoir quand et comment l'Univers est né, comment il a évolué. En revanche, ils ne sont pas sûrs de la façon dont il pourrait finir (voir p. 14). Ils pensent qu'il y a environ 12 milliards d'années, une explosion que l'on appelle big bang fut à l'origine de l'Univers et de son expansion. Chose étonnante, ces chercheurs ont réussi à remonter son histoire jusqu'à l'âge d'un dix millions de billions de billions de billionième de seconde (10^{-43} s). C'est à cet instant que les lois connues de la physique et les forces fondamentales de la nature prirent naissance.

QU'Y AVAIT-IL AVANT ?

La question «Qu'y avait-il avant le big bang ? » n'a pas de sens. Avant le big bang, il n'y avait rien – ni matière, ni espace, ni radiations, ni lois de la physique, ni temps. Il n'y avait ni «avant», ni «après». Le big bang fut le début de tout. De la même façon que pour un bébé, il n'y a pas d'«avant», il n'y a qu'un «après».

Note : 1 billion = 1 000 milliards

L'ÉVOLUTION DE L'UNIVERS PRIMORDIAL

Les bouleversements les plus importants ont eu lieu dans les trois premières minutes qui suivirent le big bang. Au cours de ce laps de temps, la température de l'Univers chuta d'un nombre incalculable de billions de degrés à environ un milliard de degrés. Ce spectaculaire refroidissement permit la conversion de l'énergie en particules subatomiques, comme les électrons, les noyaux d'hydrogène et d'hélium. Il fallut ensuite 300 000 ans avant que ces particules se combinent pour former les atomes d'hydrogène et d'hélium qui, plus tard, allaient donner naissance aux premières galaxies.

UN ABBÉ VISIONNAIRE

Vers 1930, Georges Lemaître (1894-1966), un prêtre belge devenu cosmologiste, suggéra que l'Univers avait été créé en un seul instant, au moment de l'explosion d'un «atome primordial». La matière fut éparpillée dans l'espace puis finalement condensée en étoiles ou en galaxies. Les idées de Lemaître jetèrent les fondations de la théorie du big bang.

Le big bang crée l'Univers qui alors est infiniment petit, infiniment chaud, et rempli d'énergie.

L'énergie du big bang crée des particules de matière et d'antimatière, qui s'anéantissent mutuellement.

La température de l'Univers diminue : les quarks deviennent le type de matière prédominant.

La température de l'Univers diminue, les combinaisons de particules deviennent stables.

Alors qu'il n'est âgé que d'une fraction de seconde, l'Univers se dilate dans des proportions énormes lors d'une phase appelée inflation.

Les quarks entrent en collision et forment les protons et les neutrons, particules que l'on trouve dans le noyau atomique.

Les électrons et les positrons, particules légères, se forment.

A partir du big bang, l'Univers entre en expansion.

La matière est trop dense et empêche la propagation de la lumière.

Les ondes de lumière se propagent difficilement, heurtant les particules, comme dans un brouillard.

La température chute de 3 000 °C : les électrons sont absorbés dans les atomes.

La plupart des électrons et des positrons entrent en collision et s'anéantissent mutuellement.

La température est en chute constante.

La matière se condense pour former amas et galaxies.

VERS LA TRANSPARENCE

Jusque vers l'âge de 380 000 ans, l'Univers resta opaque car densément rempli de particules. Puis les électrons se mirent à se combiner avec des noyaux atomiques pour former les premiers atomes. Le brouillard de particules soudain éclairci, pour la première fois, les radiations purent voyager sur de longues distances, un phénomène que l'on nomme découplage entre la lumière et la matière. L'Univers devint alors transparent.

Les photons (particules de lumière) voyagent désormais dans un espace essentiellement vide.

Les plus anciens photons que l'on puisse espérer détecter datent du découplage.

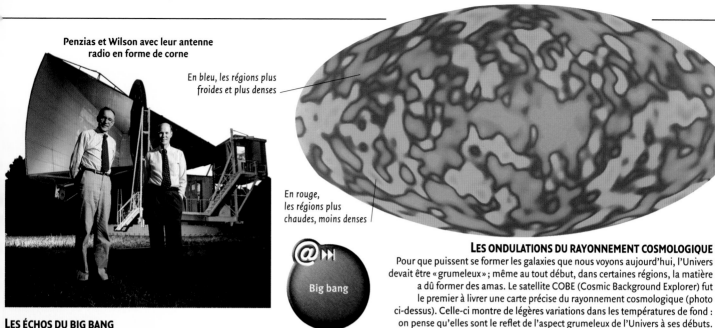

Penzias et Wilson avec leur antenne radio en forme de corne

En bleu, les régions plus froides et plus denses

En rouge, les régions plus chaudes, moins denses

Big bang

LES ÉCHOS DU BIG BANG

Si le big bang a vraiment eu lieu, les physiciens ont calculé qu'à l'heure actuelle la température de l'ensemble de l'Univers devrait avoir chuté à environ 3 °C au-dessus du zéro absolu (−273 °C). En 1965, les physiciens américains Arno Penzias et Robert Wilson captèrent les signaux d'un faible rayonnement de micro-ondes venant de toutes les régions du cosmos, sorte d'écho du big bang, appelé rayonnement thermique fossile, ou rayonnement cosmologique. Ils équivalaient à une température moyenne de fond d'environ −270 °C, preuve convaincante de l'exactitude de la théorie du big bang.

LES ONDULATIONS DU RAYONNEMENT COSMOLOGIQUE

Pour que puissent se former les galaxies que nous voyons aujourd'hui, l'Univers devait être «grumeleux»; même au tout début, dans certaines régions, la matière a dû former des amas. Le satellite COBE (Cosmic Background Explorer) fut le premier à livrer une carte précise du rayonnement cosmologique (photo ci-dessus). Celle-ci montre de légères variations dans les températures de fond : on pense qu'elles sont le reflet de l'aspect grumeleux de l'Univers à ses débuts.

LE PROGRAMME BOOMERANG

Le programme BOOMERANG, commun aux Etats-Unis et à l'Europe, envoie dans la stratosphère des instruments détecteurs de micro-ondes en ballons-sondes dans les vents qui tournent autour de l'Antarctique. Ces détecteurs étant alors refroidis à une fraction de degrés au-dessus du zéro absolu, ils peuvent relever les faibles émissions thermiques des micro-ondes du rayonnement cosmologique avec une grande précision et en dresser la carte.

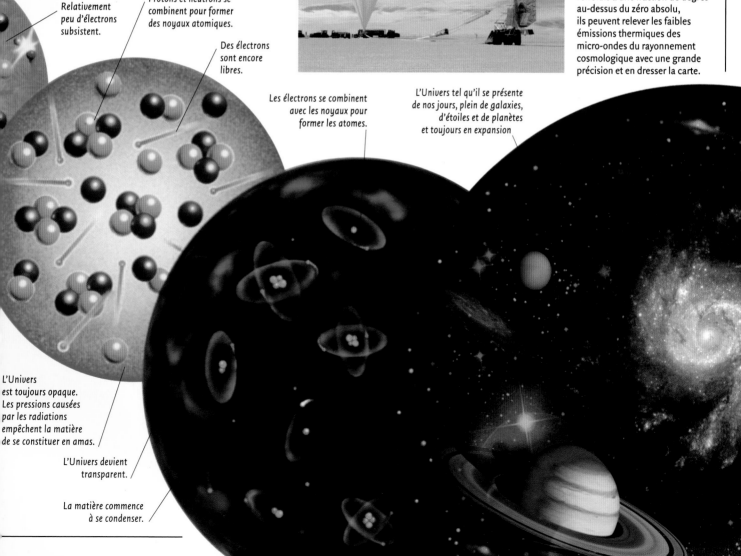

Relativement peu d'électrons subsistent.

Protons et neutrons se combinent pour former des noyaux atomiques.

Des électrons sont encore libres.

Les électrons se combinent avec les noyaux pour former les atomes.

L'Univers tel qu'il se présente de nos jours, plein de galaxies, d'étoiles et de planètes et toujours en expansion

L'Univers est toujours opaque. Les pressions causées par les radiations empêchent la matière de se constituer en amas.

L'Univers devient transparent.

La matière commence à se condenser.

LE DESTIN INCERTAIN DE L'UNIVERS

Le big bang créa l'Univers et marqua le début de son expansion. Depuis, il n'a cessé de se dilater. Mais que se passera-t-il à l'avenir ? Quel est le destin ultime de l'Univers ? Continuera-t-il sans cesse son expansion ? Ou bien cessera-t-il de s'étendre pour connaître une longue mort froide ? Ou encore se verra-t-il déchiré ou se recontractera-t-il dans un big bang inversé ? La réponse dépend de la quantité de matière et d'énergie présentes dans l'Univers et des effets de l'« énergie sombre ». Cette force inconnue qui semble s'opposer à la gravité constituerait quelque 73 % de l'Univers. La matière ordinaire, basée sur l'atome, qui compose les étoiles et les galaxies, n'en représente que 4 %. Le reste serait une autre forme de matière, dite « noire », peut-être due à des particules quasi indétectables.

ÉTAIT-CE BIEN UNE ERREUR ?

En 1917, au moment où Albert Einstein (1879-1955) entreprend de décrire mathématiquement l'Univers, il inclut une « constante cosmologique » : une force extérieure empêchant l'effondrement de l'Univers. A l'époque, il ignorait que le cosmos était en expansion. Son idée « erronée » a récemment été relancée avec le concept d'énergie sombre.

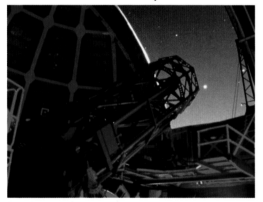

L'UNIVERS EN EXPANSION

En 1917, l'astronome américain Vesto Slipher constata, en étudiant leur spectre lumineux, que la plupart des galaxies s'éloignaient de nous (voir ci-dessous). L'Univers semblait s'étendre. Utilisant le télescope Hooker (ci-dessus) à l'observatoire du mont Wilson, Edwin Hubble découvrit que le taux d'expansion dépendait de la distance. Plus une galaxie est éloignée, plus elle se déplace vite.

UNE EXPANSION UNIVERSELLE

Vues de la Terre, les galaxies semblent s'éloigner dans toutes les directions. Elles ne s'éloignent pas seulement de nous mais aussi les unes des autres. Pour se représenter ce phénomène d'expansion, on peut imaginer l'Univers en le comparant à un ballon, les galaxies se trouvant dispersées à sa surface. Chaque fois que l'on souffle dans le ballon, l'Univers se développe et les galaxies s'écartent davantage.

Quand l'Univers était jeune, les galaxies étaient plus proches les unes des autres.

La distance entre les galaxies augmente.

Le big bang, à l'origine de l'expansion de l'Univers

L'Univers de nos jours

L'Univers, il y a quelques milliards d'années

Terre

Etoile s'éloignant de la Terre

Les lignes du spectre lumineux d'absorption de l'étoile sont décalées vers le rouge.

LE *REDSHIFT* : UN DÉCALAGE VERS LE ROUGE

Quand une voiture de police roule sirène hurlante, on entend le son passer de l'aigu au grave à mesure qu'elle s'éloigne de nous. Ce phénomène est lié au fait qu'elle est en mouvement : les ondes sonores qu'elle émet vers nous après son passage sont étirées, donc plus graves car de plus grande longueur d'onde. Le même phénomène se produit dans le cosmos avec la lumière. Les galaxies s'éloignant, elles émettent vers nous des ondes lumineuses plus étirées (de plus grande longueur d'onde), donc décalées vers le rouge : c'est le *redshift*. Le changement de couleur est difficile à déceler visuellement, mais il se mesure par le décalage des raies du spectre lumineux d'absorption (p. 43) des objets célestes.

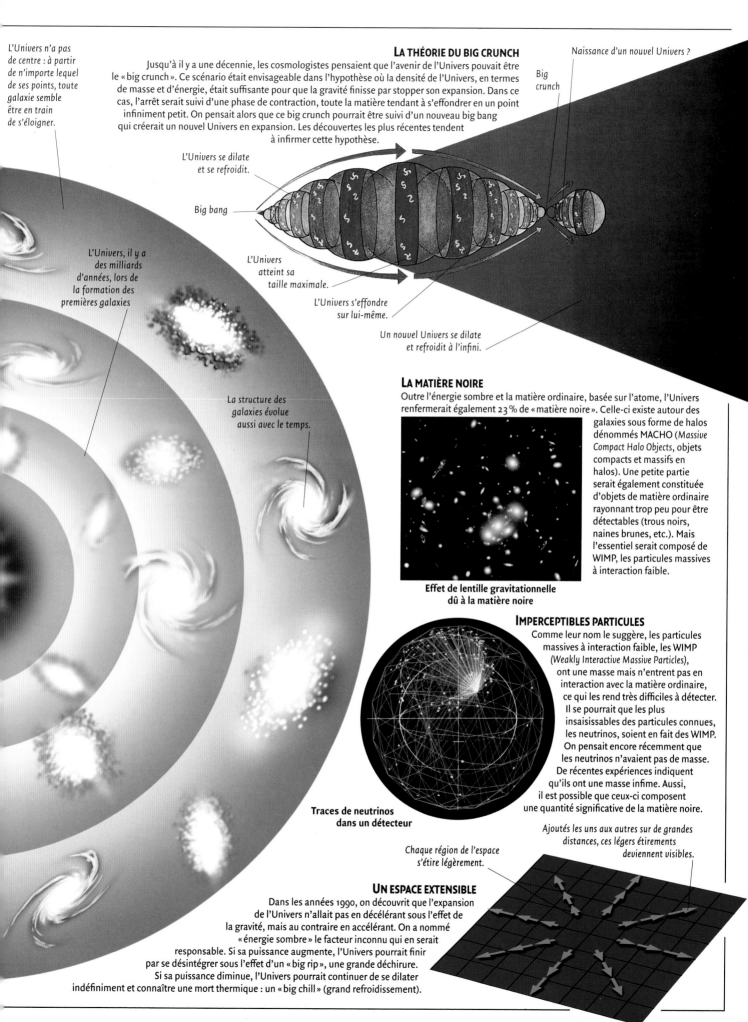

L'Univers n'a pas de centre : à partir de n'importe lequel de ses points, toute galaxie semble être en train de s'éloigner.

LA THÉORIE DU BIG CRUNCH

Jusqu'à il y a une décennie, les cosmologistes pensaient que l'avenir de l'Univers pouvait être le « big crunch ». Ce scénario était envisageable dans l'hypothèse où la densité de l'Univers, en termes de masse et d'énergie, était suffisante pour que la gravité finisse par stopper son expansion. Dans ce cas, l'arrêt serait suivi d'une phase de contraction, toute la matière tendant à s'effondrer en un point infiniment petit. On pensait alors que ce big crunch pourrait être suivi d'un nouveau big bang qui créerait un nouvel Univers en expansion. Les découvertes les plus récentes tendent à infirmer cette hypothèse.

Naissance d'un nouvel Univers ?

Big crunch

L'Univers se dilate et se refroidit.

Big bang

L'Univers atteint sa taille maximale.

L'Univers s'effondre sur lui-même.

Un nouvel Univers se dilate et refroidit à l'infini.

L'Univers, il y a des milliards d'années, lors de la formation des premières galaxies

La structure des galaxies évolue aussi avec le temps.

LA MATIÈRE NOIRE

Outre l'énergie sombre et la matière ordinaire, basée sur l'atome, l'Univers renfermerait également 23 % de « matière noire ». Celle-ci existe autour des galaxies sous forme de halos dénommés MACHO (*Massive Compact Halo Objects*, objets compacts et massifs en halos). Une petite partie serait également constituée d'objets de matière ordinaire rayonnant trop peu pour être détectables (trous noirs, naines brunes, etc.). Mais l'essentiel serait composé de WIMP, les particules massives à interaction faible.

Effet de lentille gravitationnelle dû à la matière noire

IMPERCEPTIBLES PARTICULES

Comme leur nom le suggère, les particules massives à interaction faible, les WIMP (*Weakly Interactive Massive Particles*), ont une masse mais n'entrent pas en interaction avec la matière ordinaire, ce qui les rend très difficiles à détecter. Il se pourrait que les plus insaisissables des particules connues, les neutrinos, soient en fait des WIMP. On pensait encore récemment que les neutrinos n'avaient pas de masse. De récentes expériences indiquent qu'ils ont une masse infime. Aussi, il est possible que ceux-ci composent une quantité significative de la matière noire.

Traces de neutrinos dans un détecteur

Ajoutés les uns aux autres sur de grandes distances, ces légers étirements deviennent visibles.

Chaque région de l'espace s'étire légèrement.

UN ESPACE EXTENSIBLE

Dans les années 1990, on découvrit que l'expansion de l'Univers n'allait pas en décélérant sous l'effet de la gravité, mais au contraire en accélérant. On a nommé « énergie sombre » le facteur inconnu qui en serait responsable. Si sa puissance augmente, l'Univers pourrait finir par se désintégrer sous l'effet d'un « big rip », une grande déchirure. Si sa puissance diminue, l'Univers pourrait continuer de se dilater indéfiniment et connaître une mort thermique : un « big chill » (grand refroidissement).

CINQUANTE SIÈCLES D'OBSERVATION

Les astronomes ont passé plus de 5 000 ans à regarder le ciel, étudiant les étoiles et les constellations, les phases de la Lune, la course des planètes dans le zodiaque, les allées et venues des comètes et les éclipses. L'astronomie franchit un pas de géant en 1609, le jour où Galilée tourna le premier télescope vers le ciel. Depuis, des télescopes optiques toujours plus grands n'ont cessé de révéler les secrets d'un Univers plus vaste que tout ce que l'on peut imaginer. Puis d'autres types de télescopes ont été construits pour étudier les radiations invisibles qu'émettent étoiles et galaxies. Les ondes radio peuvent être étudiées depuis la Terre, mais les autres rayonnements doivent être captés dans l'espace car ils sont arrêtés par l'atmosphère de la planète.

L'OBSERVATION OPTIQUE

Certaines lunettes astronomiques, aussi appelées réfracteurs, utilisées par les premiers astronomes, étaient de taille prodigieuse. Ceux-ci utilisaient de petites lentilles avec une longue distance focale pour obtenir un grossissement important. Ainsi, le «télescope aérien» géant de Christiaan Huygens (ci-dessus) mesurait 64 m de long.

Rayons lumineux entrants

Oculaire

L'ouverture permet à la lumière d'atteindre le miroir primaire.

Rayons lumineux réfléchis vers l'intérieur

Le magnétomètre détecte le champ magnétique de la Terre.

Le miroir secondaire renvoie la lumière vers l'oculaire.

Miroir primaire, ou collecteur

LE TÉLESCOPE DE NEWTON

Le principe du télescope optique, aussi appelé réflecteur, repose sur un système de miroirs. Certains modèles actuels utilisent toujours la formule mise au point par Isaac Newton vers 1671. Un grand miroir primaire concave collecte la lumière et la focalise, la renvoyant en sens inverse dans le tube du télescope vers un miroir secondaire plat. Ce dernier, orienté à 45°, renvoie à son tour les rayons lumineux vers un oculaire situé près de l'ouverture du tube optique. Sur la plupart des télescopes professionnels, l'oculaire est remplacé par une caméra ou par d'autres instruments.

La monture, de type Dobson, permet de pointer avec précision le télescope.

@▶▶
Astronomie

LE TÉLESCOPE SPATIAL HUBBLE

Le télescope spatial Hubble est un réflecteur équipé d'un miroir de 2,40 m de diamètre. Il fait le tour de la Terre en 90 minutes sur une orbite située à 610 km d'altitude. Ses débuts, en 1990, furent désastreux : on découvrit que son miroir primaire comportait des défauts. Depuis, sa vision a été corrigée et le satellite renvoie à présent les images les plus impressionnantes jamais réalisées. Sa vision, non perturbée par les turbulences atmosphériques, contrairement aux télescopes terrestres, est d'une clarté totale, non seulement dans des longueurs d'ondes visibles, mais aussi dans les ultraviolets et les infrarouges.

Les panneaux solaires produisent 3 000 watts d'électricité.

Les dômes des télescopes Keck, sur le Mauna Kea (Hawaii)

La comète Wild 2

L'ÉTUDE SUR LE TERRAIN

Des sondes spatiales explorent la Lune, les planètes et d'autres objets du Système solaire depuis 1959. La plupart croisent à proximité de leur cible mais certaines se placent en orbite autour, d'autres allant même jusqu'à atterrir dessus. La sonde Stardust, lancée en 1999, est allée, en 2004, à la rencontre de la comète Wild 2 dont elle a ramené sur Terre, en 2006, des échantillons de poussière ! C'est la seconde sonde à rapporter ainsi des échantillons venant d'au-delà de la Lune, après Genesis qui captura des particules de vent solaire.

La sonde Stardust

LES KECK, DES TÉLESCOPES JUMEAUX

Les deux télescopes Keck, à Hawaii, comptent parmi les plus puissants du monde. Leurs miroirs collecteurs ont 10 m de diamètre. Ces miroirs ne sont pas constitués d'une seule pièce mais de 36 segments distincts. Chaque segment est indépendant et contrôlé par ordinateur de façon à toujours former, avec les autres, un réflecteur de forme parfaite. Quand les deux télescopes sont mis en liaison (on dit en interférométrie), ils travaillent alors comme un télescope dont le miroir atteindrait 85 m de diamètre.

Portière et pare-soleil empêchent la très forte lumière d'endommager les instruments.

LA RADIOASTRONOMIE

Les premiers signaux radio reçus de l'espace furent détectés en 1931 par Karl Jansky, ingénieur chez Bell Telephone. Les ondes radio étant beaucoup plus longues que les ondes lumineuses, les radioastronomes doivent utiliser de larges antennes pour capter des signaux détaillés. De nombreux observatoires de radioastronomie utilisent des séries de paraboles fonctionnant en liaison (en interférométrie) pour former des zones de réception portant sur plusieurs kilomètres. Ainsi, le Very Large Array, radiotélescope de Socorro, au Nouveau Mexique, est composé de 27 paraboles en différentes configurations. En reliant en interférométrie des télescopes de différents pays, on obtient des zones de réception encore plus grandes.

Le Very Large Array, au Nouveau Mexique (Etats-Unis)

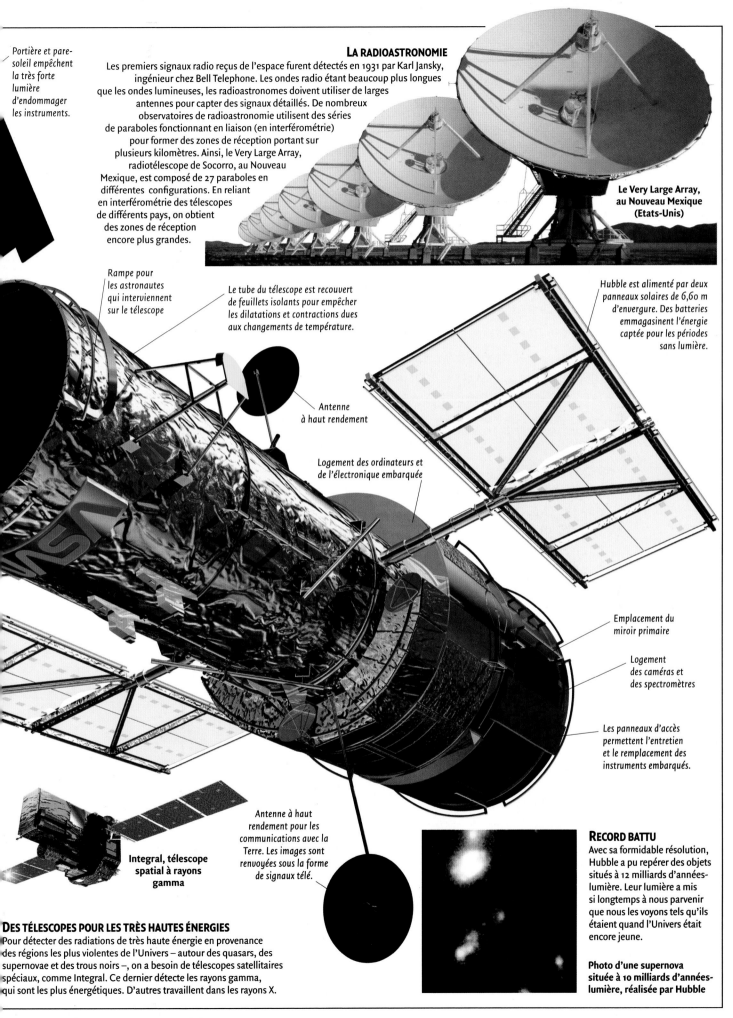

Rampe pour les astronautes qui interviennent sur le télescope

Le tube du télescope est recouvert de feuillets isolants pour empêcher les dilatations et contractions dues aux changements de température.

Hubble est alimenté par deux panneaux solaires de 6,60 m d'envergure. Des batteries emmagasinent l'énergie captée pour les périodes sans lumière.

Antenne à haut rendement

Logement des ordinateurs et de l'électronique embarquée

Emplacement du miroir primaire

Logement des caméras et des spectromètres

Les panneaux d'accès permettent l'entretien et le remplacement des instruments embarqués.

Integral, télescope spatial à rayons gamma

Antenne à haut rendement pour les communications avec la Terre. Les images sont renvoyées sous la forme de signaux télé.

RECORD BATTU

Avec sa formidable résolution, Hubble a pu repérer des objets situés à 12 milliards d'années-lumière. Leur lumière a mis si longtemps à nous parvenir que nous les voyons tels qu'ils étaient quand l'Univers était encore jeune.

Photo d'une supernova située à 10 milliards d'années-lumière, réalisée par Hubble

DES TÉLESCOPES POUR LES TRÈS HAUTES ÉNERGIES

Pour détecter des radiations de très haute énergie en provenance des régions les plus violentes de l'Univers – autour des quasars, des supernovae et des trous noirs –, on a besoin de télescopes satellitaires spéciaux, comme Integral. Ce dernier détecte les rayons gamma, qui sont les plus énergétiques. D'autres travaillent dans les rayons X.

NOTRE COIN D'UNIVERS : LE SYSTÈME SOLAIRE

Les anciens astronomes pensaient que la Terre ne pouvait être que le centre de l'Univers. Le Soleil, la Lune et tous les autres corps célestes, y compris les étoiles, ne semblaient-ils pas tourner autour ? Bien sûr, de nos jours, on sait qu'il n'en est rien. Dans notre petit coin d'Univers, le Soleil est au centre d'un système de planètes et d'autres corps qui gravitent autour de lui : c'est le Système solaire. Le Soleil s'y distingue par le fait qu'il est le seul à produire de la lumière : c'est une étoile. Tous les autres objets de ce système ne sont visibles que parce qu'ils reflètent la lumière du Soleil. Les membres les plus importants du Système solaire sont les huit planètes, dont la Terre, et leurs cortèges de satellites naturels. Les autres, moins importants mais plus nombreux (ils sont des milliards), sont des morceaux de roches appelés astéroïdes, et des corps glacés appelés comètes.

LE SYSTÈME COPERNICIEN

En 1543, Nicolas Copernic, prêtre et astronome polonais (1473–1543), mit en ordre notre région de l'Univers, en suggérant que le Soleil et non la Terre, était au centre de notre système planétaire. L'idée contredisait les enseignements de l'Eglise, mais fut finalement démontrée par Galilée.

LES PLANÈTES

Une planète est un monde gravitant autour du Soleil. Elle doit être assez grosse pour maintenir sa propre matière sous une forme à peu près sphérique sous l'effet de sa propre gravité. Notre planète est la troisième à partir du Soleil, une position qui fournit des conditions idéales pour la vie.

LES SATELLITES

Toutes les planètes, sauf Mercure et Vénus, ont des astres satellites qui, comme la Lune autour de la Terre, gravitent autour d'elles. Les planètes géantes (Jupiter, Saturne, Uranus et Neptune) comptent à elles quatre plus de 80 satellites. On voit ici Mimas, l'un de ceux qui escortent Saturne.

Mercure

Neptune met 164,8 ans pour effectuer une révolution autour du Soleil.

Mars met 1,88 an pour faire le tour du Soleil.

Mars

Pluton

L'orbite de Pluton est très allongée. Cette planète naine met 248 ans pour effectuer une révolution autour du Soleil et s'en approche parfois plus près que Neptune.

Jupiter met 11,86 ans pour faire le tour du Soleil.

Jupiter

La ceinture d'astéroïdes contient des milliers de morceaux de roches.

Uranus

Des petits corps glacés appelés les Centaures sont en orbite près de Saturne et d'Uranus.

Uranus met 84 ans pour effectuer une révolution autour du Soleil.

Saturne effectue une révolution autour du Soleil en 29,45 ans.

LA CEINTURE D'OBJETS DE KUIPER

De nombreux corps glacés semblables à Pluton existent dans le Système solaire lointain. On les trouve dans une région appelée ceinture de Kuiper, d'après le nom de l'astronome Gérard Kuiper. Beaucoup de comètes proviennent de cette ceinture.

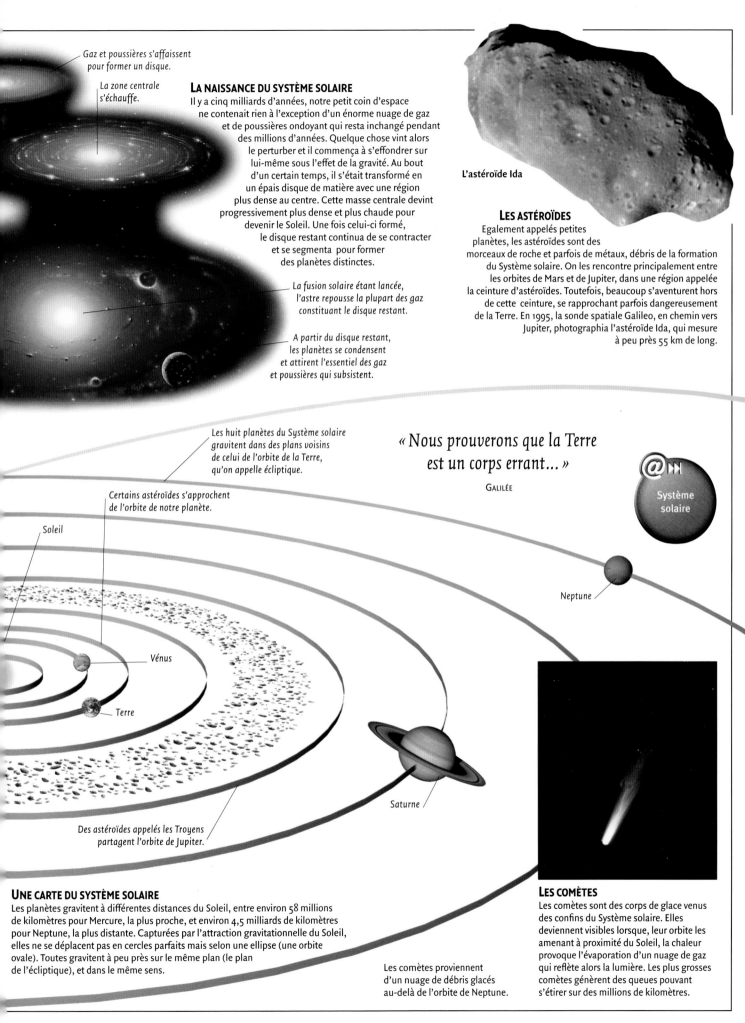

LA NAISSANCE DU SYSTÈME SOLAIRE

Il y a cinq milliards d'années, notre petit coin d'espace ne contenait rien à l'exception d'un énorme nuage de gaz et de poussières ondoyant qui resta inchangé pendant des millions d'années. Quelque chose vint alors le perturber et il commença à s'effondrer sur lui-même sous l'effet de la gravité. Au bout d'un certain temps, il s'était transformé en un épais disque de matière avec une région plus dense au centre. Cette masse centrale devint progressivement plus dense et plus chaude pour devenir le Soleil. Une fois celui-ci formé, le disque restant continua de se contracter et se segmenta pour former des planètes distinctes.

Gaz et poussières s'affaissent pour former un disque.

La zone centrale s'échauffe.

La fusion solaire étant lancée, l'astre repousse la plupart des gaz constituant le disque restant.

A partir du disque restant, les planètes se condensent et attirent l'essentiel des gaz et poussières qui subsistent.

L'astéroïde Ida

LES ASTÉROÏDES

Egalement appelés petites planètes, les astéroïdes sont des morceaux de roche et parfois de métaux, débris de la formation du Système solaire. On les rencontre principalement entre les orbites de Mars et de Jupiter, dans une région appelée la ceinture d'astéroïdes. Toutefois, beaucoup s'aventurent hors de cette ceinture, se rapprochant parfois dangereusement de la Terre. En 1995, la sonde spatiale Galileo, en chemin vers Jupiter, photographia l'astéroïde Ida, qui mesure à peu près 55 km de long.

Les huit planètes du Système solaire gravitent dans des plans voisins de celui de l'orbite de la Terre, qu'on appelle écliptique.

Certains astéroïdes s'approchent de l'orbite de notre planète.

« Nous prouverons que la Terre est un corps errant... »

GALILÉE

Système solaire

Neptune

Soleil

Vénus

Terre

Saturne

Des astéroïdes appelés les Troyens partagent l'orbite de Jupiter.

UNE CARTE DU SYSTÈME SOLAIRE

Les planètes gravitent à différentes distances du Soleil, entre environ 58 millions de kilomètres pour Mercure, la plus proche, et environ 4,5 milliards de kilomètres pour Neptune, la plus distante. Capturées par l'attraction gravitationnelle du Soleil, elles ne se déplacent pas en cercles parfaits mais selon une ellipse (une orbite ovale). Toutes gravitent à peu près sur le même plan (le plan de l'écliptique), et dans le même sens.

Les comètes proviennent d'un nuage de débris glacés au-delà de l'orbite de Neptune.

LES COMÈTES

Les comètes sont des corps de glace venus des confins du Système solaire. Elles deviennent visibles lorsque, leur orbite les amenant à proximité du Soleil, la chaleur provoque l'évaporation d'un nuage de gaz qui reflète alors la lumière. Les plus grosses comètes génèrent des queues pouvant s'étirer sur des millions de kilomètres.

LE SOLEIL, UNE ÉTOILE COMME TANT D'AUTRES

L'étoile que nous appelons Soleil domine notre région de l'espace. Avec près de 1 400 000 km, son diamètre est plus de cent fois supérieur à celui de la Terre. De par son énorme masse, il a une très forte gravité et attire une vaste famille d'objets: des gros, comme la Terre et les autres planètes, et des petits, tels les comètes et les astéroïdes. L'ensemble de ces corps compose le Système solaire. Comme les autres étoiles, le Soleil est une énorme boule constituée de différents gaz incandescents. Les deux principaux sont l'hydrogène et l'hélium, mais on y trouve aussi, en petite quantité, 70 autres éléments chimiques.
Pour nous, Terriens, situés à 150 millions de kilomètres, le Soleil est essentiel. Il fournit la lumière et la chaleur nécessaires à la vie.

LÉGENDES DU SOLEIL
Le Soleil est vénéré comme un dieu depuis la nuit des temps. Dans l'Ancienne Egypte, Râ, le dieu-soleil à tête de faucon, était la plus puissante divinité. Dans la mythologie grecque primitive, Hélios, le dieu-soleil, portait chaque jour le Soleil à travers le ciel dans un chariot ailé tiré par des chevaux.

La photosphère est la surface visible du Soleil.

Les protubérances sont des jets de gaz brûlants projetés à des milliers de kilomètres de la surface.

La surface visible du Soleil présente une texture granuleuse.

La température de la photosphère avoisine les 5 500 C.

Soleil

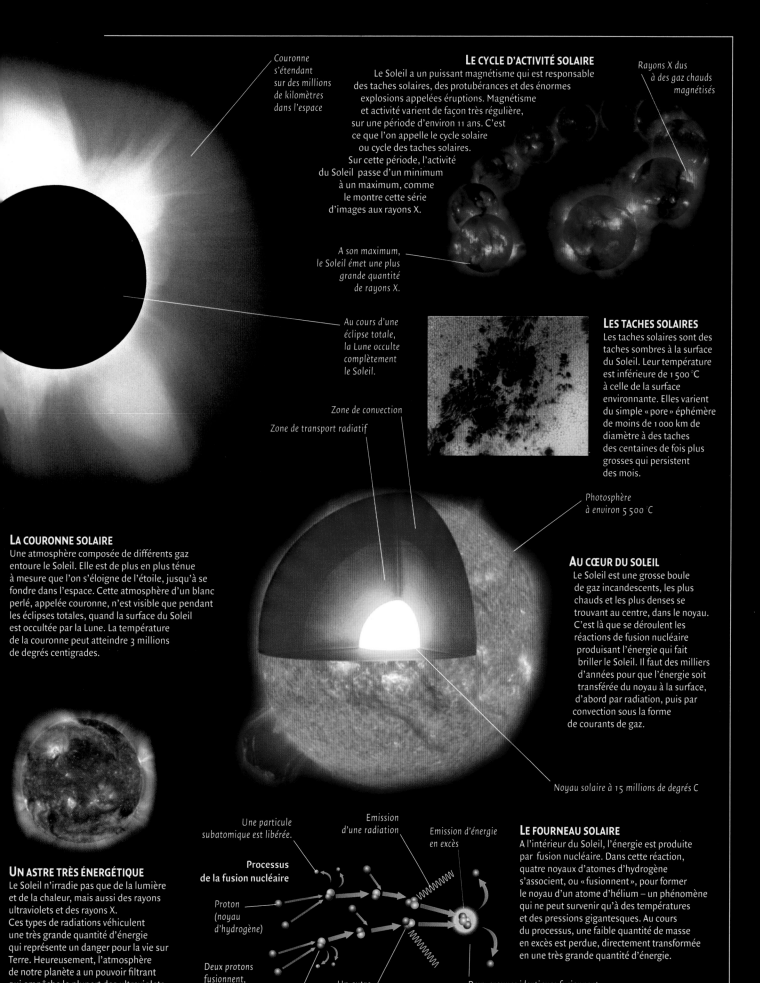

Couronne s'étendant sur des millions de kilomètres dans l'espace

LE CYCLE D'ACTIVITÉ SOLAIRE

Le Soleil a un puissant magnétisme qui est responsable des taches solaires, des protubérances et des énormes explosions appelées éruptions. Magnétisme et activité varient de façon très régulière, sur une période d'environ 11 ans. C'est ce que l'on appelle le cycle solaire ou cycle des taches solaires. Sur cette période, l'activité du Soleil passe d'un minimum à un maximum, comme le montre cette série d'images aux rayons X.

Rayons X dus à des gaz chauds magnétisés

A son maximum, le Soleil émet une plus grande quantité de rayons X.

Au cours d'une éclipse totale, la Lune occulte complètement le Soleil.

LES TACHES SOLAIRES

Les taches solaires sont des taches sombres à la surface du Soleil. Leur température est inférieure de 1 500 °C à celle de la surface environnante. Elles varient du simple « pore » éphémère de moins de 1 000 km de diamètre à des taches des centaines de fois plus grosses qui persistent des mois.

Zone de convection

Zone de transport radiatif

Photosphère à environ 5 500 °C

LA COURONNE SOLAIRE

Une atmosphère composée de différents gaz entoure le Soleil. Elle est de plus en plus ténue à mesure que l'on s'éloigne de l'étoile, jusqu'à se fondre dans l'espace. Cette atmosphère d'un blanc perlé, appelée couronne, n'est visible que pendant les éclipses totales, quand la surface du Soleil est occultée par la Lune. La température de la couronne peut atteindre 3 millions de degrés centigrades.

AU CŒUR DU SOLEIL

Le Soleil est une grosse boule de gaz incandescents, les plus chauds et les plus denses se trouvant au centre, dans le noyau. C'est là que se déroulent les réactions de fusion nucléaire produisant l'énergie qui fait briller le Soleil. Il faut des milliers d'années pour que l'énergie soit transférée du noyau à la surface, d'abord par radiation, puis par convection sous la forme de courants de gaz.

Noyau solaire à 15 millions de degrés C

Une particule subatomique est libérée.

Emission d'une radiation

Emission d'énergie en excès

LE FOURNEAU SOLAIRE

A l'intérieur du Soleil, l'énergie est produite par fusion nucléaire. Dans cette réaction, quatre noyaux d'atomes d'hydrogène s'associent, ou « fusionnent », pour former le noyau d'un atome d'hélium – un phénomène qui ne peut survenir qu'à des températures et des pressions gigantesques. Au cours du processus, une faible quantité de masse en excès est perdue, directement transformée en une très grande quantité d'énergie.

Processus de la fusion nucléaire

Proton (noyau d'hydrogène)

UN ASTRE TRÈS ÉNERGÉTIQUE

Le Soleil n'irradie pas que de la lumière et de la chaleur, mais aussi des rayons ultraviolets et des rayons X. Ces types de radiations véhiculent une très grande quantité d'énergie qui représente un danger pour la vie sur Terre. Heureusement, l'atmosphère de notre planète a un pouvoir filtrant qui empêche la plupart des ultraviolets et des rayons X d'atteindre le sol.

Deux protons fusionnent, l'un se change en neutron.

Un autre proton s'associe.

Deux groupes identiques fusionnent, éjectant un proton pour former de l'hélium.

LA LUNE, SATELLITE DE LA TERRE

Dans l'espace, la Lune est la plus proche compagne de notre planète, son unique satellite naturel situé en moyenne à 384 000 km. Elle n'émet pas elle-même de lumière mais brille en reflétant celle du Soleil. D'un diamètre de 3 476 km, la Lune est faite de roche, comme la Terre. Mais elle n'a pas d'atmosphère et n'abrite ni eau ni forme de vie. Les astronomes pensent qu'elle s'est formée à partir d'un débris arraché à la Terre lors d'une collision avec un autre grand corps céleste, il y a très longtemps. Tandis qu'elle tourne autour de la Terre, la Lune semble changer de forme dans le ciel, variant alternativement du fin croissant au cercle plein selon un cycle de 29,5 jours. Ces changements de forme sont appelés « phases de la Lune » : elles marquent l'un des grands rythmes de la nature.

Cratère clair, cerné de rayons

Cratère formé par un astéroïde ayant percuté la Lune

Nouvelle Lune

Lune croissante

Premier quartier

Gibbeuse croissante

Pleine Lune

Gibbeuse décroissante

Dernier quartier

Lune décroissante

La partie sombre de la Lune reflète parfois faiblement la lumière en provenance de la Terre.

L'acteur Lon Chaney Jr. dans Le Loup-garou (1941)

LÉGENDES DE LA LUNE

Grecs et Romains vénéraient la Lune sous le nom d'Artémis ou Diane. Les Anciens pensaient qu'elle avait des pouvoirs magiques et que rester trop longtemps sous sa lumière lorsqu'elle était pleine pouvait rendre fou. De là vient d'ailleurs le mot « lunatique ». On croyait aussi que la pleine Lune pouvait transformer certaines personnes en loups-garous qui chassaient les humains et en mangeaient la chair.

UN VISAGE CHANGEANT

Les phases de la Lune sont dues au fait que la lumière du Soleil ne frappe qu'une partie de sa face visible depuis la Terre, cette partie éclairée variant au cours du temps. La nouvelle Lune est invisible parce que le Soleil n'éclaire alors que sa face cachée. Mais tandis que la Lune tourne autour de la Terre, l'hémisphère éclairé se déplace de telle sorte qu'une surface de plus en plus importante devient visible. Lors de la pleine Lune, le Soleil illumine la totalité de sa face visible. Ensuite, le phénomène inverse se produit et la surface visible de l'hémisphère éclairé décroît.

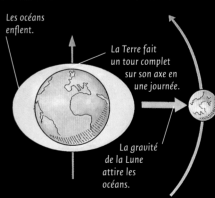

LA GRAVITÉ DE LA LUNE

La gravité de la Lune ne représente qu'un sixième de celle de la Terre, aussi a-t-elle été incapable de retenir quelque gaz que ce soit pour constituer une atmosphère. Ce défaut d'atmosphère fait que la température lunaire varie considérablement entre le jour (environ 110 °C) et la nuit (environ −180 °C). Mais si faible soit-elle, la gravité lunaire affecte la Terre : elle attire l'eau des océans et provoque ainsi les marées. L'eau enfle pour former une marée haute directement sous la Lune ; un autre renflement similaire se produit alors sur le côté opposé de la planète. Entre ces deux zones de marée haute se trouvent deux zones de marée basse dans lesquelles l'eau a été écartée. Il y a à peu près deux marées hautes et deux marées basses par jour.

Les océans enflent.

La Terre fait un tour complet sur son axe en une journée.

La gravité de la Lune attire les océans.

LA FACE VISIBLE DE LA LUNE

La Lune nous présente toujours la même face car il lui faut exactement le même temps (29,53 jours) pour effectuer un tour complet sur son axe que pour effectuer une révolution complète autour de la Terre. Ce mouvement est appelé «rotation synchrone»; on le retrouve chez la plupart des satellites des autres planètes. Les régions sombres que nous observons sur la Lune sont de vastes plaines poussiéreuses. Les premiers astronomes pensaient qu'il pouvait s'agir de mers et les ont appelées maria («mer» en latin). Les régions plus claires sont des zones montagneuses beaucoup plus anciennes, marquées de nombreux cratères: on pense qu'il s'agit de parties de la croûte d'origine de la Lune.

Bassin d'Aitken, le plus large cratère connu dans le Système solaire

Pôle Sud de la Lune

LES PÔLES CACHÉS

Depuis la Terre, on ne voit jamais les pôles de la Lune, mais les sondes spatiales les ont explorés. Elles montrent que certains cratères et bassins polaires sont plongés dans une nuit permanente et pourraient contenir de grandes quantités de glace. Si cela est prouvé, ces dépôts de glace pourraient fournir de l'eau aux futurs explorateurs humains.

Les mers sombres sont en fait des coulées de lave inertes.

Reliefs lunaires

LEVER DE TERRE

Les astronautes des missions Apollo ont réalisé d'extraordinaires prises de vues, depuis la surface de la Lune et depuis son orbite. Les plus spectaculaires sont celles montrant la Terre s'élevant au-dessus de l'horizon lunaire. Elles montrent le contraste saisissant entre notre monde coloré, vivant, et son satellite, terne et mort.

L'HOMME SUR LA LUNE

Le 20 juillet 1969, les astronautes d'Apollo 11, Neil Armstrong et Buzz Aldrin, apposèrent les premières empreintes de pieds humains sur la Lune. Ils furent les premiers des 12 astronautes américains qui explorèrent les « mers » et les zones montagneuses, installèrent des stations scientifiques et rapportèrent des échantillons de sol et de roche. Ils trouvèrent que le sol lunaire, appelé régolite, ressemble à de la terre labourée – il a été brisé par d'incessants bombardements venus de l'espace. Toutes les roches y sont de type éruptif, proches du basalte terrestre.

LA FACE CACHÉE

Personne n'avait vu la face cachée de la Lune avant que des sondes placées en orbite n'en dressent la carte dans les années 1960. Elle est beaucoup plus accidentée, avec beaucoup plus de cratères que la face visible, et il n'y a pas de vastes «mers». Le cratère Tsiolkovsky (185 km) est l'un des traits dominants.

Surface lunaire

Vue depuis la Lune, la Terre présente elle aussi des phases.

@ ▶▶

Lune

HUIT PLANÈTES POUR UN SYSTÈME

En partant du Soleil, les huit planètes sont Mercure, Vénus, la Terre, Mars, Jupiter, Saturne, Uranus et Neptune. Elles se divisent, selon leur structure, en deux grandes familles. Les quatre plus proches du Soleil sont dites telluriques : elles sont surtout constituées de roches. Les quatre qui suivent sont des «géantes gazeuses», surtout composées de gaz. Depuis 2006, Pluton n'est plus considérée comme une planète. Dotée d'une orbite très différente des huit planètes, hors du plan de l'écliptique, elle semble être le plus gros d'un groupe de corps glacés qui peuple les confins du Système solaire et appelés planètes naines. Chaque planète est animée de deux mouvements dans l'espace : sa rotation sur elle-même, qui définit son jour, et sa révolution autour du Soleil, qui définit son année.

ANATOMIE COMPARÉE DES PLANÈTES
Les planètes sont de taille très variable. Jupiter est vraiment gigantesque et renferme plus de matière que toutes les autres planètes réunies. Elle pourrait contenir plus de 1 300 objets de la taille de la Terre et plus de deux millions de planètes naines de la taille de Pluton. Toutefois, le noyau des planètes géantes est proportionnellement beaucoup plus petit que celui des planètes telluriques – à peu près de la taille de la Terre. A l'autre bout de l'échelle, Mercure est minuscule ; certains des satellites des géantes gazeuses sont plus gros qu'elle.

TERRE
Diamètre : 12 756 km
Distance du Soleil : 149,6 millions de km
Période de rotation : 23,93 heures
Période de révolution solaire : 365,25 jours
Nombre de satellites : 1

MERCURE
Diamètre : 4 880 km
Distance du Soleil : 58 millions de km
Période de rotation : 58,7 jours
Période de révolution solaire : 88 jours
Nombre de satellites : 0

VÉNUS
Diamètre : 12 104 km
Distance du Soleil : 108 millions de km
Période de rotation : 243 jours
Période de révolution solaire : 224,7 jours
Nombre de satellites : 0

MARS
Diamètre : 6 794 km
Distance du Soleil : 228 millions de km
Période de rotation : 24,6 heures
Période de révolution solaire : 687 jours
Nombre de satellites : 2

La plupart des planètes géantes ont des atmosphères turbulentes alimentées par une source d'énergie interne.

JUPITER
Diamètre : 142 984 km
Distance du Soleil : 778 millions km
Période de rotation : 9,93 heures
Période de révolution solaire : 11,9 ans
Nombre de satellites : 63

L'ÉCHELLE DES DISTANCES
Le diagramme ci-dessous donne une représentation à l'échelle des distances qui séparent les planètes du Soleil. Les quatre planètes intérieures (telluriques) sont relativement proches les unes des autres, alors que les quatre planètes extérieures sont vraiment très distantes. En fait, le Système solaire est essentiellement constitué d'espace vide.

Un vaste système d'anneaux cerne l'équateur de Saturne, sur une distance de presque 275 000 km. Les quatre géantes gazeuses ont chacune un système d'anneaux, mais ceux de Saturne sont de loin les plus visibles et les plus impressionnants.

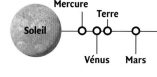

Soleil — Mercure — Vénus — Terre — Mars — Jupiter — Saturne

SUR L'ÉCLIPTIQUE

Les planètes gravitent autour du Soleil en suivant à peu près un plan que l'on nomme plan de l'écliptique. Vu depuis la Terre, il est défini par la trajectoire annuelle du Soleil dans le ciel. Les planètes semblent voyager au plus près de ce plan, à travers les constellations du zodiaque. La poussière présente autour de l'écliptique est à l'origine d'une faible lueur dans le ciel, lueur que l'on appelle la lumière zodiacale.

Les cinq planètes visibles à l'œil nu, alignées le long de l'écliptique

Comme le montre l'inclinaison des anneaux de Saturne, les planètes ne sont pas droites sur leur axe. La plupart ont un axe de rotation incliné.

SATURNE
Diamètre : 120 660 km
Distance du Soleil : 1 429 millions de km
Période de rotation : 10,66 heures
Période de révolution solaire : 29,5 ans
Nombre de satellites : 60

URANUS
Diamètre :
51 118 km
Distance du Soleil :
2 875 millions de km
Période de rotation :
17,24 heures
Période de révolution
solaire : 84 ans
Nombre de satellites : 22

NEPTUNE
Diamètre : 49 532 km
Distance du Soleil : 4 505 millions de km
Période de rotation : 16,11 heures
Période de révolution solaire : 164,8 ans
Nombre de satellites : 11

Atmosphère

Molécules
d'hydrogène liquide

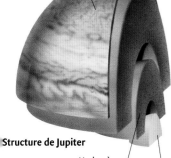

Structure de Jupiter

Hydrogène
atomique liquide

Noyau

LES GÉANTES GAZEUSES
Jupiter, Saturne, Uranus et Neptune sont des géantes gazeuses. Elles possèdent une épaisse atmosphère principalement composée d'hydrogène et d'hélium. Sous l'atmosphère se trouve un océan qui recouvre toute la planète, composé d'hydrogène liquide sur Jupiter et Saturne, de glaces fondues sur les géantes de moindre taille. Il n'y a que dans le noyau, de petite taille, au centre, que l'on trouve de la roche. Les géantes gazeuses ont deux autres points communs : elles ont toutes de nombreux satellites et un système d'anneaux.

Manteau

Noyau

Croûte

Atmosphère

Structure de Mars

LES PLANÈTES TELLURIQUES
Mercure, Vénus et Mars ont une structure rocheuse ressemblant à celle de la Terre. C'est pourquoi on les qualifie toutes les quatre de planètes telluriques. Elles présentent une « croûte » extérieure fine mais dure qui enveloppe une couche beaucoup plus épaisse appelée manteau. Le « noyau » est métallique, principalement composé de fer. Toutes les planètes telluriques ont une atmosphère à l'exception de Mercure.

Uranus

Neptune

MERCURE ET VÉNUS : PLUS PRÈS DU SOLEIL

Deux planètes rocheuses, Mercure et Vénus, gravitent entre le Soleil et la Terre. On peut les voir dans le ciel telles deux étoiles brillantes. Vénus, « l'étoile du berger », bien visible presque toute l'année, est de loin la plus lumineuse. Mercure est si proche du Soleil qu'on ne la voit que brièvement, à certaines périodes de l'année, juste avant l'aurore ou juste après le crépuscule. Il règne sur ces deux planètes une température bien plus élevée que sur Terre ; elle peut atteindre 450 °C à la surface de Mercure et 480 °C sur Vénus. Mercure a un diamètre plus de deux fois plus petit que celui de Vénus, est presque entièrement recouverte de cratères, et n'a pas vraiment d'atmosphère. Vénus a une atmosphère très dense, très nuageuse, qui nous empêche de voir la surface de la planète.

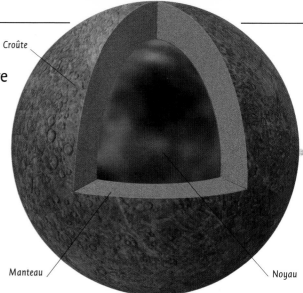

Croûte

Manteau

Noyau

AU CŒUR DE MERCURE

Mercure est une petite planète d'un diamètre de 4 880 km. C'est une planète tellurique et sa structure, en couches, est similaire à celle de la Terre. Sous une croûte externe dure, le manteau est fait de roche. Le noyau est composé de fer ; d'une taille exceptionnelle, il occupe les trois quarts du volume de la planète.

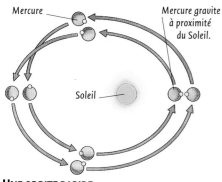

Mercure

Mercure gravite à proximité du Soleil.

Soleil

UNE ORBITE RAPIDE

Mercure est la planète qui se déplace le plus vite : elle boucle une révolution solaire en 88 jours. En revanche, sa rotation sur elle-même est très lente : une tous les 59 jours. Aussi, une grande partie de sa surface est éclairée pendant 176 jours terrestres, puis passe autant de temps dans l'obscurité (voir déplacement du point sur le schéma). Les températures passent de 450 °C le jour à –180 °C la nuit.

UNE SURFACE COUVERTE DE CRATÈRES

Il y a des milliards d'années, Mercure a subi un très fort bombardement de météorites, qui explique la surface de type lunaire, marquée d'une multitude de cratères, que nous lui voyons aujourd'hui. Ici et là, quelques plaines plus lisses entrecoupent ce relief accidenté, mais sans commune mesure avec les mers lunaires. La plus grosse structure, le bassin de Caloris, est un cratère d'impact de 1 300 km de diamètre.

Nuages d'acide sulfurique

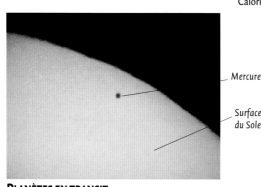

Mercure

Surface du Soleil

PLANÈTES EN TRANSIT

Mercure et Vénus gravitent à l'intérieur de l'orbite de la Terre et peuvent parfois passer devant le Soleil tel qu'on le voit depuis notre planète. Ces passages sont appelés transits. Ils sont peu fréquents car l'alignement précis de la Terre, de l'une de ces planètes et du Soleil est très occasionnel. Ceux de Vénus sont les plus rares : à peu près un tous les cinquante ans.

L'EXPÉDITION DE COOK

En 1768, James Cook se vit confier par la Société royale britannique le commandement de la première expédition scientifique vers l'océan Pacifique. L'un des principaux buts de cette expédition était d'enregistrer, depuis Tahiti, le transit de Vénus du 3 juin 1769, ce qui servirait à mesurer la distance entre la Terre et le Soleil. Une fois ces relevés effectués, Cook fit voile avec l'*Endeavour* vers la Nouvelle-Zélande et l'Australie, où, en 1770 il débarqua à Botany Bay. Il déclara que ces terres étaient propriété de l'Angleterre et les baptisa Nouvelles-Galles-du-Sud.

@ ▶▶

Mercure

JUMELLE MAIS INHOSPITALIÈRE

D'un diamètre de 12 104 km, Vénus est presque la jumelle de la Terre par la taille. Mais l'analogie s'arrête là car c'est un monde très différent : sa température très élevée et son atmosphère écrasante en font une planète des plus hostiles. Ses nuages sont composés de gouttes d'acide sulfurique. Un être vivant, sur Vénus, serait à la fois brûlé, écrasé et aussi suffoqué car l'atmosphère est presque entièrement composée de dioxyde de carbone.

Panneaux solaires

Image des volcans sur Vénus, réalisée d'après les relevés radar de Magellan

Antenne radar

Surface de Vénus, sous les nuages

Magellan, sonde de Vénus

UN MONDE DE VOLCANS

La surface de Vénus a été formée par des volcans dont la plupart sont peut-être toujours en activité. Des amoncellements de vagues de lave successives s'observent dans les endroits où les volcans sont entrés en éruption. Une autre activité géologique a également créé d'étranges structures : des couronnes circulaires et des réseaux en toiles d'araignée que l'on appelle arachnoïdes. Les éruptions volcaniques ont balayé la plupart des cratères d'impact.

À TRAVERS LES NUAGES

On ne peut pas vraiment voir la surface de Vénus à cause des nuages qui l'obstruent. Mais les ondes radio parviennent à pénétrer la couverture atmosphérique ; de fait, des radars peuvent être employés pour photographier la surface. Les sondes spatiales mises en orbite autour de Vénus, telle Magellan (1990–1994), ont ainsi permis de cartographier la totalité de la planète, révélant une surface en grande partie plane avec juste quelques régions montagneuses. Les deux plus grandes structures géologiques sont deux affleurements de la taille d'un continent, Ishtar Terra au nord et Aphrodite Terra près de l'équateur.

LA DÉESSE DE L'AMOUR

Vénus est la déesse romaine de l'amour et de la beauté ; les Grecs l'appelaient Aphrodite. Ce thème féminin se retrouve dans les dénominations des structures géologiques de la planète Vénus. *Ishtar Terra* emprunte son nom à la déesse babylonienne de l'amour. Un cratère a été nommé Cléopâtre, une plaine Guenièvre, et une profonde vallée Diana.

Vénus de Milo, Le Louvre, Paris

Sous les nuages, l'atmosphère est transparente.

Vénus

Vénus vue par un artiste du XIXe siècle

LA SURFACE DE VÉNUS

Au début du siècle dernier, les gens n'avaient aucune idée de ce à quoi ressemblait Vénus. Certains imaginaient qu'il s'agissait d'un monde tropical et humide, à la végétation luxuriante comme celle qui recouvrait la Terre il y a des millions d'années. Les premières photos de la surface de la planète, réalisées sur place par la sonde russe Venera 13 en 1982, révélèrent la réalité. Vénus est brûlée, stérile et dépourvue de toute forme de vie.

Photographie de la surface de Vénus, réalisée par l'une des sondes russes Venera

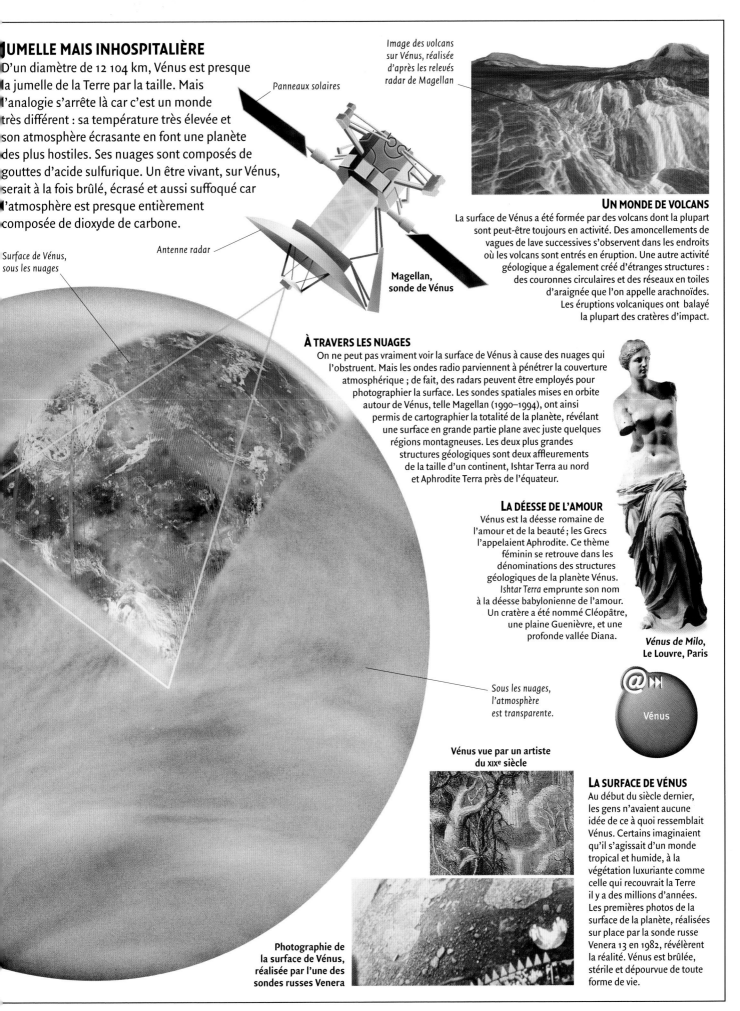

NOTRE PLANÈTE LA TERRE

Située à une distance moyenne de 150 millions de km du Soleil, la Terre, avec son diamètre de 12 756 km à l'équateur, est proche de Vénus par la taille mais n'a guère avec elle que ce point en commun. Comparée à l'enfer que constitue sa voisine, elle est plutôt un monde confortable, un havre pour toutes les formes de vie. C'est une planète tellurique, comme les trois autres planètes internes du Système solaire, mais c'est la seule dont la surface ne soit pas constituée d'un seul bloc. Elle est, au contraire, fractionnée en plusieurs sections : les « plaques tectoniques ». Ces plaques se déplacent lentement à la surface, faisant dériver les continents et s'agrandir les océans.

LE DIEU TERRE

Dans l'Antiquité, les Egyptiens pensaient que la Terre se résumait dans ce dessin copié d'après un papyrus ancien. Geb, le dieu-Terre, repose sur le sol. Sa sœur, Nut, la déesse du ciel étoilé, est soutenue par Shu, qui est à la mythologie égyptienne ce que le géant Atlas était à la mythologie gréco-latine.

Les régions tempérées, entre les pôles et l'équateur, connaissent un climat changeant mais modéré.

La profondeur moyenne des océans est de 4 000 m.

LA TECTONIQUE DES PLAQUES

L'étude des mouvements de la croûte terrestre est connue sous le nom de tectonique des plaques. A la frontière entre deux plaques en collision, les frictions et les pressions énormes provoquent la fonte des roches et créent des volcans. Le long de la faille de San Andreas (ci-dessus), en Californie, les plaques frottent l'une contre l'autre et sont la cause de tremblements de terre.

AU CŒUR DE LA PLANÈTE

La Terre est structurée en plusieurs couches. La couche externe, appelée croûte, est faite de roche dure. Cette croûte est très mince : à peu près 40 km d'épaisseur en moyenne pour les continents, mais seulement 10 km sous les océans. Elle recouvre un manteau plus lourd de roches en fusion, dont la partie supérieure est relativement molle et dérivante. Au centre se trouve un noyau ferreux. La partie supérieure de ce noyau est liquide tandis que l'intérieur est solide. On pense que les courants et les remous de la partie liquide du noyau sont à l'origine du magnétisme de la Terre.

OCÉANS ET ATMOSPHÈRE

Les océans couvrent plus de 70 % de la surface de la Terre. L'évaporation de leurs eaux joue un rôle crucial dans le climat de la planète. Cet échange sans fin d'humidité entre la surface et l'atmosphère détermine les phénomènes météorologiques tout autour du globe. Ceux-ci prennent place, pour l'essentiel, dans la troposphère, la couche la plus basse de l'atmosphère, qui atteint l'altitude de 16 000 m environ.

La Terre vue depuis un satellite en orbite

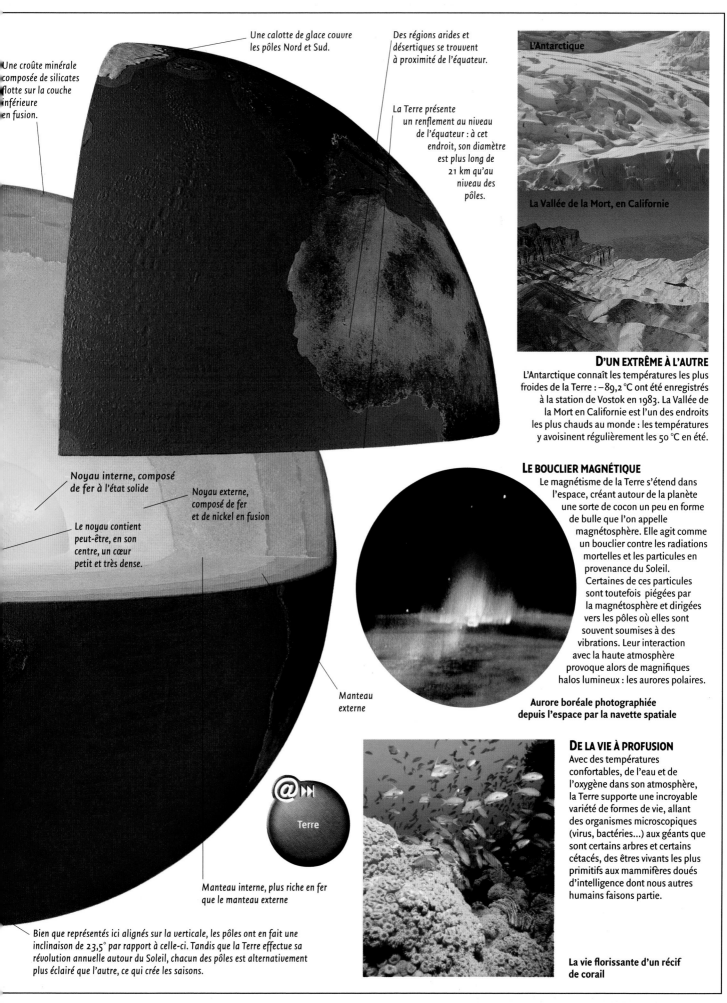

Une calotte de glace couvre les pôles Nord et Sud.

Une croûte minérale composée de silicates flotte sur la couche inférieure en fusion.

Des régions arides et désertiques se trouvent à proximité de l'équateur.

La Terre présente un renflement au niveau de l'équateur : à cet endroit, son diamètre est plus long de 21 km qu'au niveau des pôles.

Noyau interne, composé de fer à l'état solide

Noyau externe, composé de fer et de nickel en fusion

Le noyau contient peut-être, en son centre, un cœur petit et très dense.

Manteau externe

Terre

Manteau interne, plus riche en fer que le manteau externe

Bien que représentés ici alignés sur la verticale, les pôles ont en fait une inclinaison de 23,5° par rapport à celle-ci. Tandis que la Terre effectue sa révolution annuelle autour du Soleil, chacun des pôles est alternativement plus éclairé que l'autre, ce qui crée les saisons.

L'Antarctique

La Vallée de la Mort, en Californie

D'UN EXTRÊME À L'AUTRE

L'Antarctique connaît les températures les plus froides de la Terre : −89,2 °C ont été enregistrés à la station de Vostok en 1983. La Vallée de la Mort en Californie est l'un des endroits les plus chauds au monde : les températures y avoisinent régulièrement les 50 °C en été.

LE BOUCLIER MAGNÉTIQUE

Le magnétisme de la Terre s'étend dans l'espace, créant autour de la planète une sorte de cocon un peu en forme de bulle que l'on appelle magnétosphère. Elle agit comme un bouclier contre les radiations mortelles et les particules en provenance du Soleil. Certaines de ces particules sont toutefois piégées par la magnétosphère et dirigées vers les pôles où elles sont souvent soumises à des vibrations. Leur interaction avec la haute atmosphère provoque alors de magnifiques halos lumineux : les aurores polaires.

Aurore boréale photographiée depuis l'espace par la navette spatiale

DE LA VIE À PROFUSION

Avec des températures confortables, de l'eau et de l'oxygène dans son atmosphère, la Terre supporte une incroyable variété de formes de vie, allant des organismes microscopiques (virus, bactéries...) aux géants que sont certains arbres et certains cétacés, des êtres vivants les plus primitifs aux mammifères doués d'intelligence dont nous autres humains faisons partie.

La vie florissante d'un récif de corail

La teinte rougeâtre de Mars en fait un membre distinct de notre Système solaire. Associée au rouge du sang, elle tire son nom du dieu romain de la guerre. D'un diamètre de 6 794 km, Mars est deux fois plus petite que la Terre mais les deux planètes ont plusieurs aspects en commun. Ses journées ne comptent qu'une demi-heure de plus que les nôtres. On y trouve des saisons, une atmosphère et des calottes de glace aux pôles. Au chapitre des différences, son atmosphère est très mince et contient surtout du dioxyde de carbone. La surface est stérile et la température y est inférieure à zéro. Ces conditions ne sont pas favorables à la vie, mais il se peut qu'elles l'aient été par le passé.

L'hémisphère Nord de Mars est surtout constitué de basses plaines.

Les canyons de Valles Marineris atteignent 6 km de profondeur par endroits.

L'hémisphère Sud est dominé par des reliefs marqués de cratères, comme sur la Lune.

UN MONDE HUMIDE ?

On sait depuis longtemps que les calottes polaires de Mars sont constituées d'eau glacée, mais des observations réalisées en 2002 par la sonde Mars Odyssey suggèrent qu'il se trouve aussi de la glace dans le sol, en particulier dans les zones polaires du sud. Sur cette carte, les régions glacées figurent en bleu foncé. Là, le sol pourrait être constitué jusqu'à 50 % d'eau glacée dans le premier mètre de profondeur

EXPLORATION DE LA SURFACE

Mars a été mieux explorée que toute autre planète. Plusieurs sondes, comme les deux Viking en 1976, Mars Pathfinder en 1997 ou encore Mars Exploration en 2003 ont envoyé un ou plusieurs atterrisseurs sur la planète rouge et ont réalisé des prises de vue rapprochées de la surface. Ces photos montrent des pierres de couleur rouille jonchant un sol sableux. Sojourner, la petite sonde mobile de Pathfinder, était équipée pour analyser la composition des roches martiennes. La plupart sont d'origine volcanique mais certaines ressemblent aux roches sédimentaires de la Terre, ce qui laisse penser qu'il y a eu de l'eau sur Mars. Il pourrait même y avoir eu des océans à une époque où le climat était plus doux qu'il ne l'est actuellement.

Phobos

Deimos

DES SATELLITES IRRÉGULIERS

Mars a deux satellites, Phobos et Deimos. Tous deux sont très petits – Phobos a un diamètre de 26 km environ, Deimos de 16 km seulement. Les astronomes pensent qu'il s'agit d'astéroïdes capturés par le champ gravitationnel martien il y a longtemps. Ils sont de couleur sombre et sont riches en carbone, comme beaucoup d'astéroïdes.

La région d'**Ares Vallis**, un paysage jonché de cailloux

Sojourner, la sonde mobile

LE TOIT DU MONDE MARTIEN

Le mont Olympus est le plus grand de quatre volcans géants situés près de l'équateur de Mars. Il culmine à quelque 24 000 m – près de trois fois l'altitude du mont Everest. D'une circonférence de 600 km, son cratère mesure 90 km de large. Sa dernière éruption doit remonter à environ 25 millions d'années.

Mars

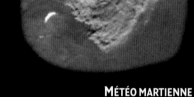

MÉTÉO MARTIENNE

Bien que Mars n'ait qu'une mince atmosphère, sa surface est souvent balayée par des vents puissants atteignant 300 km/h. Emportant les fines particules de la surface, ils créent des tempêtes de poussière qui peuvent parfois envelopper toute la planète.

Rayon calorifique mortel

Machine de guerre martienne

MARS ATTACKS

L'idée qu'il puisse exister des Martiens désespérés luttant pour survivre dans un climat de plus en plus hostile stimula beaucoup les imaginations, notamment celle de l'auteur anglais H. G. Wells. En 1898, il publia *La Guerre des mondes*, un roman de science-fiction au succès retentissant. Celui-ci décrit les Martiens envahissant la Terre avec des machines et des armes de guerre terrifiantes et invincibles. Une magistrale adaptation radio de l'invasion, interprétée par Orson Welles et présentée comme un reportage en direct, suscita un début de panique aux Etats-Unis en 1938.

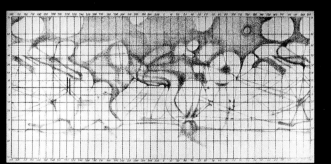

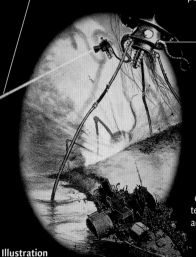

LES CANAUX DE MARS

En 1877, l'astronome italien Giovanni Schiaparelli annonça pour la première fois qu'il avait vu sur Mars des *canali* (chenaux). Ce terme improprement traduit par «canaux» conduisit d'autres astronomes à penser qu'une race martienne disparue avait jadis creusé ces canaux pour irriguer des terres desséchées. Percival Lowell, l'un des plus célèbres d'entre eux, cartographia ces canaux.

Illustration de 1907, tirée de *La Guerre des mondes*

JUPITER, LA REINE DES PLANÈTES

Plus grosse que toutes les autres planètes réunies, Jupiter est, après le Soleil, le plus imposant des membres du Système solaire. C'est l'une des géantes gazeuses dont l'atmosphère, composée d'hydrogène et d'hélium, enveloppe un vaste océan d'hydrogène liquide. Sa surface colorée est parcourue de bandes alternées sombres et claires, appelées ceintures et zones. Ce sont en fait des nuages que la rotation très rapide de la planète étire – Jupiter effectue un tour sur elle-même en moins de 10 heures. Cette rotation provoque aussi un renflement notable de la planète à la hauteur de l'équateur. Au moins 63 satellites gravitent autour de Jupiter, mais seuls quatre d'entre eux, dits galiléens, sont de taille importante. Jupiter a aussi un anneau, mais il est beaucoup trop ténu pour être visible de la Terre.

LE MAÎTRE DES DIEUX
Le nom est bien choisi pour la reine des planètes car, dans la mythologie romaine, Jupiter était le maître des dieux. Les Grecs de l'Antiquité l'appelaient Zeus et contaient ses innombrables conquêtes amoureuses. Les satellites de Jupiter ont reçu le nom de celles que le dieu avait séduites, à une exception près (Amalthée).

L'antenne transmet les données à la Terre et en reçoit les instructions.

Instruments scientifiques

La chaleur produite par le combustible nucléaire propulse la sonde spatiale.

GALILÉO ET JUPITER
La sonde américaine Galiléo entra dans l'orbite de Jupiter en 1995, après cinq années de voyage dans l'espace en utilisant, pour se propulser, la poussée gravitationnelle de Vénus et de la Terre. Galiléo confirma que la couche supérieure des nuages de Jupiter était constituée d'ammoniaque glacé. La sonde détecta dans l'atmosphère des vents de 650 km/h et réalisa des photos d'Europe qui suggèrent que ce satellite pourrait receler un océan chaud sous sa surface glacée. Galiléo resta en orbite autour de Jupiter jusqu'en 2003, continuant à envoyer des informations. Elle fut projetée dans l'atmosphère de Jupiter pour être détruite.

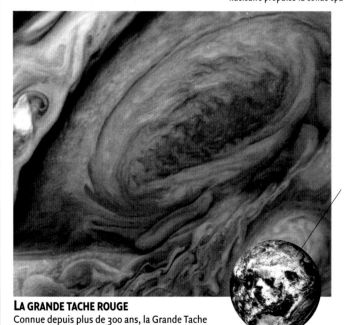

La Terre à la même échelle

LA GRANDE TACHE ROUGE
Connue depuis plus de 300 ans, la Grande Tache rouge de Jupiter semble être un gigantesque ouragan où les vents tourbillonnent à grande vitesse dans le sens inverse des aiguilles d'une montre. Le courant étant ascendant, la perturbation s'élève à 8 km au-dessus des nuages qui l'entourent. Sa taille, variable, est en moyenne de 40 000 km de diamètre. Sa couleur rouge vif peut être due à la présence de phosphore ou de composés de carbone.

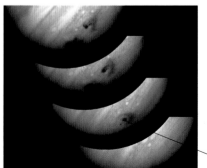

JUPITER POUR CIBLE
En juillet 1994, une vingtaine de fragments de la comète Shoemaker-Levy 9 percutèrent Jupiter. La géante gazeuse avait perturbé l'orbite de la comète. Les impacts créèrent d'énormes boules de feu qui s'élevèrent jusqu'à 4 000 km dans l'atmosphère. Les «cicatrices» persistèrent pendant des semaines.

Panache de matière (en bas) et cicatrice dus à l'impact d'un fragment de la comète

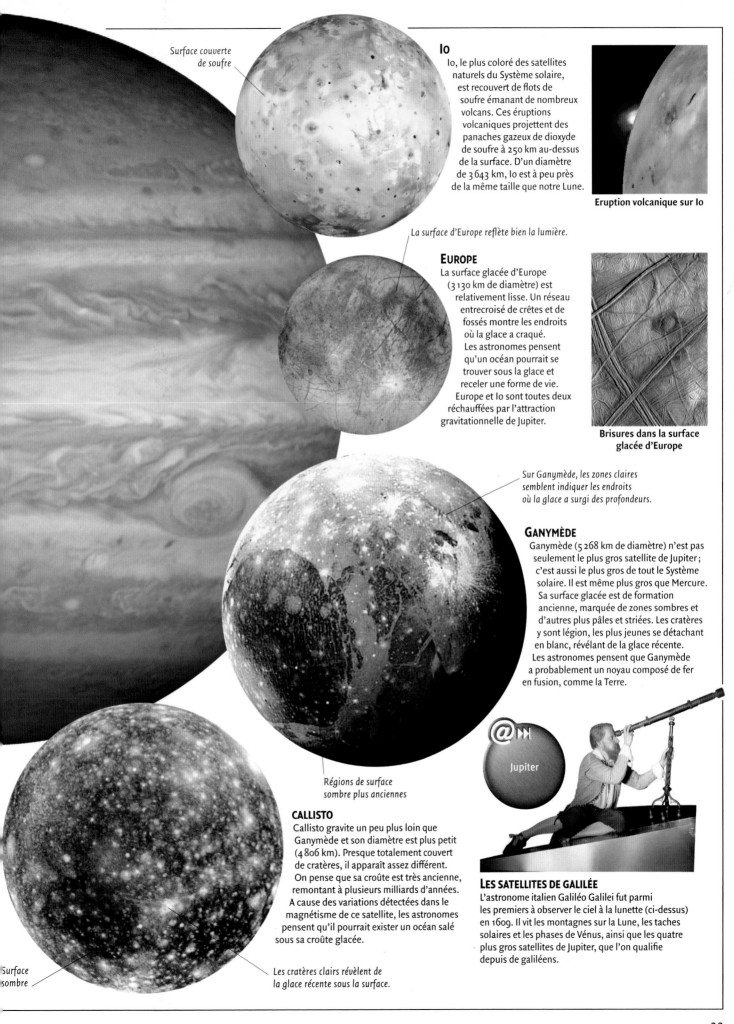

Io

Surface couverte de soufre

Io, le plus coloré des satellites naturels du Système solaire, est recouvert de flots de soufre émanant de nombreux volcans. Ces éruptions volcaniques projettent des panaches gazeux de dioxyde de soufre à 250 km au-dessus de la surface. D'un diamètre de 3 643 km, Io est à peu près de la même taille que notre Lune.

Eruption volcanique sur Io

EUROPE

La surface d'Europe reflète bien la lumière.

La surface glacée d'Europe (3 130 km de diamètre) est relativement lisse. Un réseau entrecroisé de crêtes et de fossés montre les endroits où la glace a craqué. Les astronomes pensent qu'un océan pourrait se trouver sous la glace et receler une forme de vie. Europe et Io sont toutes deux réchauffées par l'attraction gravitationnelle de Jupiter.

Brisures dans la surface glacée d'Europe

GANYMÈDE

Sur Ganymède, les zones claires semblent indiquer les endroits où la glace a surgi des profondeurs.

Ganymède (5 268 km de diamètre) n'est pas seulement le plus gros satellite de Jupiter ; c'est aussi le plus gros de tout le Système solaire. Il est même plus gros que Mercure. Sa surface glacée est de formation ancienne, marquée de zones sombres et d'autres plus pâles et striées. Les cratères y sont légion, les plus jeunes se détachant en blanc, révélant de la glace récente. Les astronomes pensent que Ganymède a probablement un noyau composé de fer en fusion, comme la Terre.

Régions de surface sombre plus anciennes

CALLISTO

Callisto gravite un peu plus loin que Ganymède et son diamètre est plus petit (4 806 km). Presque totalement couvert de cratères, il apparaît assez différent. On pense que sa croûte est très ancienne, remontant à plusieurs milliards d'années. A cause des variations détectées dans le magnétisme de ce satellite, les astronomes pensent qu'il pourrait exister un océan salé sous sa croûte glacée.

Surface sombre

Les cratères clairs révèlent de la glace récente sous la surface.

Jupiter

LES SATELLITES DE GALILÉE

L'astronome italien Galiléo Galilei fut parmi les premiers à observer le ciel à la lunette (ci-dessus) en 1609. Il vit les montagnes sur la Lune, les taches solaires et les phases de Vénus, ainsi que les quatre plus gros satellites de Jupiter, que l'on qualifie depuis de galiléens.

SATURNE, LA MERVEILLE AUX ANNEAUX

Saturne est la planète préférée des astronomes à cause de son magnifique système d'anneaux qui cerne son équateur. Trois autres planètes présentent des anneaux – Jupiter, Uranus et Neptune – mais qui ne sauraient rivaliser avec ceux de Saturne. Sixième planète en partant du Soleil, Saturne gravite à une distance d'environ 1,427 milliard de km de notre étoile. Deuxième par la taille après Jupiter, elle atteint 120 660 km de diamètre à l'équateur. Principalement composée d'hydrogène et d'hélium autour d'un noyau rocheux, c'est une géante gazeuse comme Jupiter. Mais elle est encore moins dense : elle est si légère qu'elle flotterait sur l'eau. Sa surface est une imitation en plus pâle de celle de sa grande sœur, avec d'imprécises bandes de nuages étirées sous l'effet de sa rotation rapide.

LE CYCLE DES ANNEAUX

L'axe de Saturne est incliné selon un angle de près de 27 degrés par rapport à la verticale. A cause de cela au cours de la révolution solaire de la planète, qui dure trente ans, les anneaux apparaissent à l'observateur terrestre sous des angles différents. Par deux fois au cours de ce cycle, ils se présentent par la tranche, disparaissant alors presque totalement à la vue.

Anneau B

Ombre de Saturne
sur les anneaux

Anneau F

AU CŒUR DES ANNEAUX

Les images réalisées par les sondes Voyager montrent que les anneaux de Saturne sont en fait constitués de milliers d'anneaux plus étroits. Ces anneaux sont constitués de millions de particules de glace qui gravitent à grande vitesse autour de la planète. Leur taille varie de celle d'un grain de sable à celle d'un gros rocher.

LA STRUCTURE DES ANNEAUX

Le système des anneaux de Saturne présente un diamètre total de 27 500 km environ. A travers un télescope classique, les astronomes en discernent trois, nommés, de l'extérieur vers l'intérieur, anneaux A, B et C. Le plus large et le plus brillant est l'anneau B, le plus imprécis étant l'anneau C (dit « de crêpe » pour cette raison). L'anneau B est séparé de l'anneau A par la division de Cassini. Une autre séparation plus petite, la division d'Encke, figure près du bord externe de l'anneau A. Les sondes spatiales Pioneer 11 et Voyager 1 et 2 ont découvert plusieurs autres anneaux, dont un anneau D, très indistinct, partant de l'anneau C pour aller effleurer les plus hauts nuages de Saturne. Les anneaux E, F et G se trouvent au-delà de l'anneau A.

Ombre des anneaux sur la planète

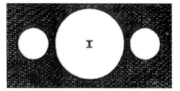

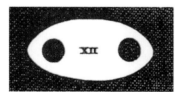

LA PLANÈTE MYSTÉRIEUSE

Les premiers astronomes étaient perplexes face à l'étrange apparence de Saturne car leurs instruments optiques ne leur permettaient pas d'en distinguer clairement la structure. Dans son livre *Systema Saturnium* (1659), le Hollandais Christiaan Huygens montrait des dessins de Saturne telle que la percevaient différents astronomes depuis Galilée (I). Examinant diverses explications, il en concluait que cette planète était en fait entourée d'un anneau plat et fin.

GIOVANNI CASSINI

Les astronomes de la fin du XVIIe siècle pensaient que les anneaux de Saturne étaient solides ou liquides. Les doutes commencèrent à émerger en 1675, quand l'Italien Giovanni Domenico Cassini (1625-1712) découvrit une ligne sombre dans l'anneau de Saturne. Il s'avéra qu'il s'agissait d'un intervalle entre deux anneaux et on l'appela division de Cassini. Ce dernier comprit alors que les anneaux ne pouvaient être solides. Mais leur véritable structure ne fut élucidée qu'au XIXe siècle.

Saturne

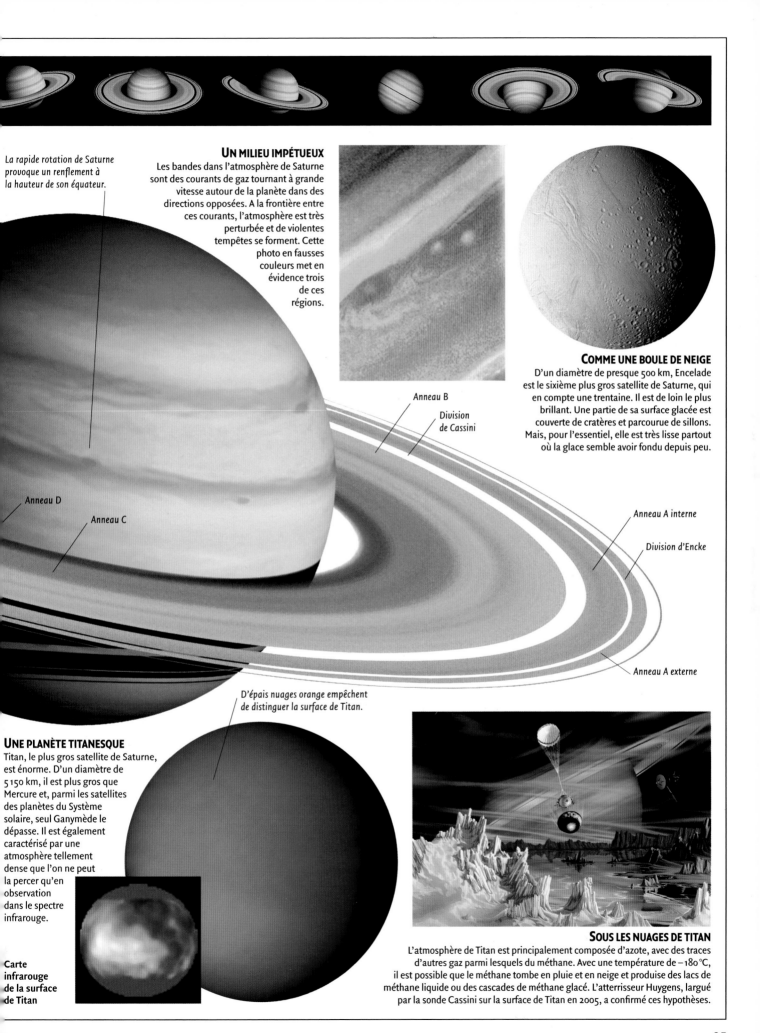

UN MILIEU IMPÉTUEUX

Les bandes dans l'atmosphère de Saturne sont des courants de gaz tournant à grande vitesse autour de la planète dans des directions opposées. A la frontière entre ces courants, l'atmosphère est très perturbée et de violentes tempêtes se forment. Cette photo en fausses couleurs met en évidence trois de ces régions.

La rapide rotation de Saturne provoque un renflement à la hauteur de son équateur.

COMME UNE BOULE DE NEIGE

D'un diamètre de presque 500 km, Encelade est le sixième plus gros satellite de Saturne, qui en compte une trentaine. Il est de loin le plus brillant. Une partie de sa surface glacée est couverte de cratères et parcourue de sillons. Mais, pour l'essentiel, elle est très lisse partout où la glace semble avoir fondu depuis peu.

Anneau B

Division de Cassini

Anneau D

Anneau C

Anneau A interne

Division d'Encke

Anneau A externe

D'épais nuages orange empêchent de distinguer la surface de Titan.

UNE PLANÈTE TITANESQUE

Titan, le plus gros satellite de Saturne, est énorme. D'un diamètre de 5 150 km, il est plus gros que Mercure et, parmi les satellites des planètes du Système solaire, seul Ganymède le dépasse. Il est également caractérisé par une atmosphère tellement dense que l'on ne peut la percer qu'en observation dans le spectre infrarouge.

Carte infrarouge de la surface de Titan

SOUS LES NUAGES DE TITAN

L'atmosphère de Titan est principalement composée d'azote, avec des traces d'autres gaz parmi lesquels du méthane. Avec une température de −180 °C, il est possible que le méthane tombe en pluie et en neige et produise des lacs de méthane liquide ou des cascades de méthane glacé. L'atterrisseur Huygens, largué par la sonde Cassini sur la surface de Titan en 2005, a confirmé ces hypothèses.

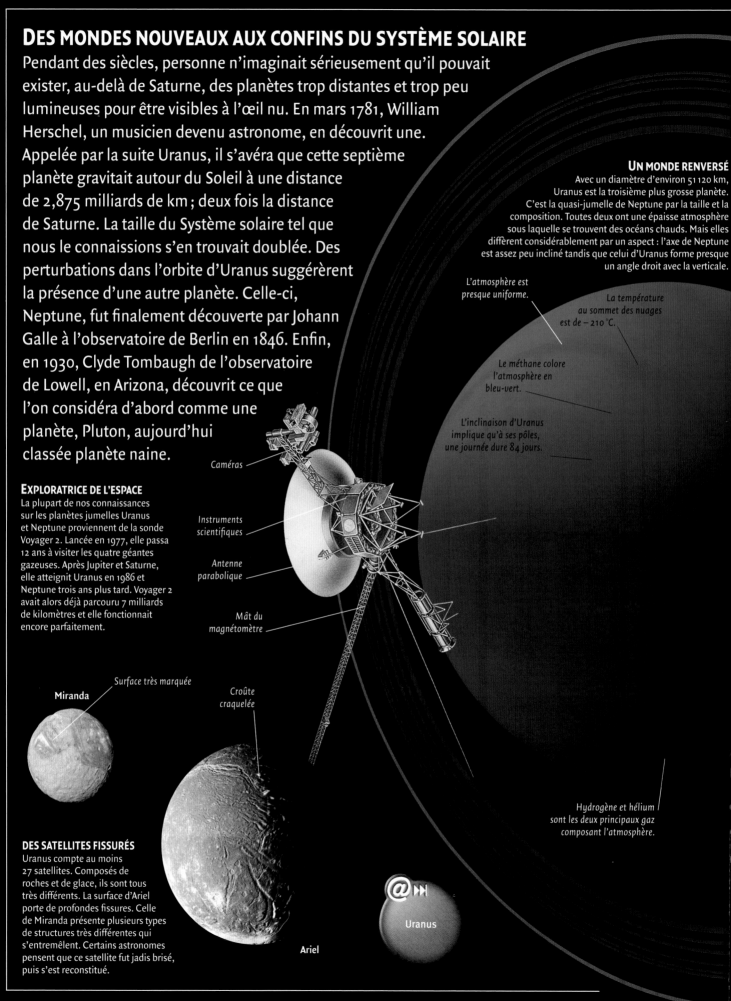

DES MONDES NOUVEAUX AUX CONFINS DU SYSTÈME SOLAIRE

Pendant des siècles, personne n'imaginait sérieusement qu'il pouvait exister, au-delà de Saturne, des planètes trop distantes et trop peu lumineuses pour être visibles à l'œil nu. En mars 1781, William Herschel, un musicien devenu astronome, en découvrit une. Appelée par la suite Uranus, il s'avéra que cette septième planète gravitait autour du Soleil à une distance de 2,875 milliards de km ; deux fois la distance de Saturne. La taille du Système solaire tel que nous le connaissions s'en trouvait doublée. Des perturbations dans l'orbite d'Uranus suggérèrent la présence d'une autre planète. Celle-ci, Neptune, fut finalement découverte par Johann Galle à l'observatoire de Berlin en 1846. Enfin, en 1930, Clyde Tombaugh de l'observatoire de Lowell, en Arizona, découvrit ce que l'on considéra d'abord comme une planète, Pluton, aujourd'hui classée planète naine.

EXPLORATRICE DE L'ESPACE
La plupart de nos connaissances sur les planètes jumelles Uranus et Neptune proviennent de la sonde Voyager 2. Lancée en 1977, elle passa 12 ans à visiter les quatre géantes gazeuses. Après Jupiter et Saturne, elle atteignit Uranus en 1986 et Neptune trois ans plus tard. Voyager 2 avait alors déjà parcouru 7 milliards de kilomètres et elle fonctionnait encore parfaitement.

Caméras

Instruments scientifiques

Antenne parabolique

Mât du magnétomètre

UN MONDE RENVERSÉ
Avec un diamètre d'environ 51 120 km, Uranus est la troisième plus grosse planète. C'est la quasi-jumelle de Neptune par la taille et la composition. Toutes deux ont une épaisse atmosphère sous laquelle se trouvent des océans chauds. Mais elles diffèrent considérablement par un aspect : l'axe de Neptune est assez peu incliné tandis que celui d'Uranus forme presque un angle droit avec la verticale.

L'atmosphère est presque uniforme.

La température au sommet des nuages est de – 210 °C.

Le méthane colore l'atmosphère en bleu-vert.

L'inclinaison d'Uranus implique qu'à ses pôles, une journée dure 84 jours.

Hydrogène et hélium sont les deux principaux gaz composant l'atmosphère.

Miranda

Surface très marquée

Croûte craquelée

DES SATELLITES FISSURÉS
Uranus compte au moins 27 satellites. Composés de roches et de glace, ils sont tous très différents. La surface d'Ariel porte de profondes fissures. Celle de Miranda présente plusieurs types de structures très différentes qui s'entremêlent. Certains astronomes pensent que ce satellite fut jadis brisé, puis s'est reconstitué.

Ariel

@▶▶

Uranus

L'AUTRE PLANÈTE BLEUE

Neptune se trouve à 1,6 milliard de km d'Uranus.
D'un diamètre de 49 530 km, elle est un peu plus petite
que sa voisine et son système d'anneaux est plus ténu.
Son atmosphère est tachetée de nuages clairs et de grands
ovales sombres marquant des régions de perturbations.
Cette atmosphère est plus bleue que celle d'Uranus
car elle contient plus de méthane. En 1989, Voyager 2
y a enregistré une énorme tempête. Une telle
activité dans l'atmosphère implique la présence
d'une source de chaleur interne. Cette chaleur
maintient la couverture de nuages de Neptune
à la même température que celle d'Uranus
bien que la planète soit beaucoup
plus éloignée du Soleil.

Les taches sombres se situent
plus bas dans l'atmosphère que
les taches claires, plus rapides.

La température
au sommet des
nuages est
de − 210 ˚C.

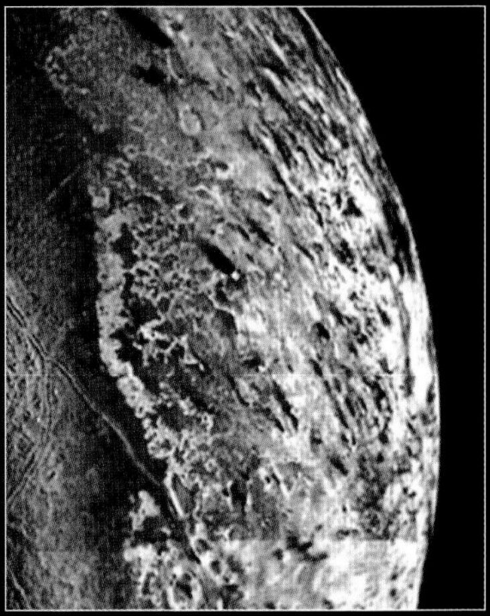

LES GEYSERS DE TRITON

Avec 2 710 km de diamètre, Triton est de loin le plus gros des huit satellites
de Neptune. C'est un monde très froid, comme Pluton, et tous deux sont
certainement des transfuges d'un groupe de corps glacés qui gravite
au-delà de Neptune. La surface de Triton est recouverte d'azote et de
méthane gelés et, curieusement, des geysers y sont en éruption, d'où
jaillissent de l'azote à l'état gazeux et de la poussière.

DES DÉCOUVREURS

Johann Galle observa Neptune pour la première fois en 1846 en suivant les
travaux de l'astronome français Urbain Le Verrier (1811-1877) qui avait déduit
par calcul la position probable de cette planète d'après les perturbations
de l'orbite d'Uranus. L'Anglais John Couch Adams (1819-1892) avait fait
les mêmes calculs un an auparavant,
mais personne ne
s'en était servi.

REPUBLIQUE FRANÇAISE
POSTES
12F
1811 LE VERRIER 1877

Uranus compte
11 anneaux cernant
son équateur.

Neptune

Les particules
qui composent
les anneaux ont
en moyenne 1 m
de diamètre.

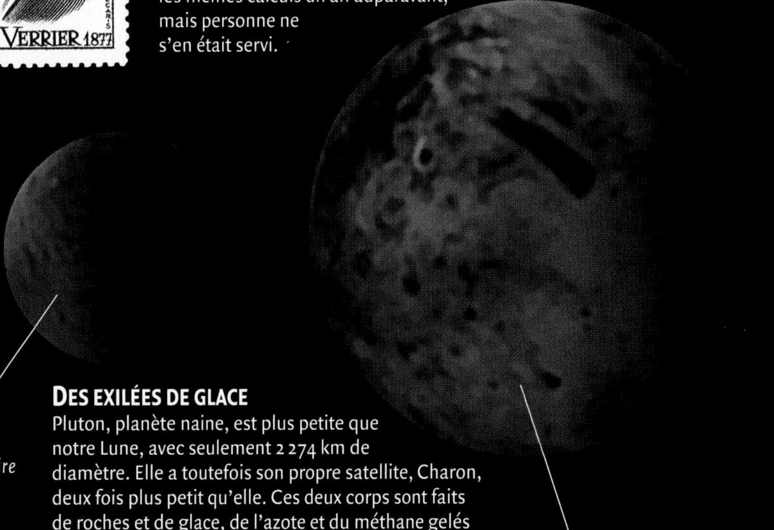

Charon met 6 jours
et 9 heures pour faire
le tour de Pluton.

L'anneau externe
est plus clair.

DES EXILÉES DE GLACE

Pluton, planète naine, est plus petite que
notre Lune, avec seulement 2 274 km de
diamètre. Elle a toutefois son propre satellite, Charon,
deux fois plus petit qu'elle. Ces deux corps sont faits
de roches et de glace, de l'azote et du méthane gelés
recouvrant leur surface. Considérée jusqu'en 2006 comme
la planète la plus éloignée du Système solaire, Pluton passe
plus près du Soleil que Neptune pendant une période
de 20 ans sur les 248 que dure sa révolution. La dernière
de ces périodes a eu lieu entre 1979 et 1999.

Pluton se trouve en
moyenne à 5,9 milliards
de kilomètres du Soleil.

ASTÉROÏDES ET COMÈTES, MÉTÉORES ET MÉTÉORITES

Après les planètes et leurs satellites, les plus gros corps du Système solaire sont ces masses rocheuses que l'on appelle astéroïdes, ou petites planètes ; ceux-ci gravitent assez près du Soleil. Beaucoup plus loin, au-delà de Pluton, se trouvent des groupes de corps glacés plus petits. Certains ont une trajectoire très excentrique qui les amène périodiquement à proximité du Soleil. Là, ils fondent sous l'effet de la chaleur, libérant des nuages de gaz et de poussières qui deviennent visibles, formant des comètes (p. 40). Les astéroïdes entrent souvent en collision entre eux et volent en éclats. Ces éclats, ainsi que les poussières des comètes, forment les météoroïdes ; ils sont des milliards dans l'espace. Lorsqu'ils croisent l'orbite de la Terre, la plupart se consument dans la haute atmosphère, créant les étoiles filantes, ou météores. Les morceaux assez gros pour atteindre notre sol sans se consumer totalement sont des météorites.

L'astéroïde Ida

LA CEINTURE D'ASTÉROÏDES

Plus de 10 000 astéroïdes ont été découverts, mais il y en a en fait des milliards. La plupart d'entre eux gravitent autour du Soleil dans une large bande située à peu près à mi-chemin entre l'orbite de Mars et celle de Jupiter. On appelle cette bande la Ceinture d'astéroïdes. Son centre se trouve à quelque 400 millions de kilomètres du Soleil. Toutefois, certains astéroïdes errent en dehors de cette ceinture, suivant des orbites excentriques qui peuvent les amener à l'intérieur de l'orbite de la Terre ou au-delà de celle de Saturne.

LA DIVERSITÉ DES ASTÉROÏDES

Même Cérès, le plus gros des astéroïdes connus, ne mesure que 930 km de large, soit moins d'un tiers du diamètre de notre Lune. Les deux suivants dans l'ordre des tailles décroissantes, Pallas et Vesta, sont deux fois plus petits que Cérès. Mais la plupart des astéroïdes sont bien plus petits encore. Ida, par exemple, mesure environ 56 km de long, Gaspra quelque 19 km seulement. Ils ont été les premiers astéroïdes photographiés par la sonde spatiale Galiléo alors qu'elle faisait route vers Jupiter. Gaspra est principalement composé de silicates, comme la plupart des astéroïdes. La structure d'Ida est plus mystérieuse. D'autres astéroïdes sont surtout composés de métaux ou d'un mélange de roches et de métaux.

Astéroïde

POLICE CÉLESTE

En 1800, Le baron hongrois Franz von Zach organisa un groupe de recherche composé d'astronomes allemands, afin de rechercher une planète dans ce qui semblait être un « vide » dans le Système solaire, entre Mars et Jupiter. Ils se firent connaître sous le nom de Police céleste. Mais, le 1er janvier 1801, l'astronome italien Giuseppe Piazzi leur souffla la vedette en repérant une nouvelle « planète » dans ce vide. Nommée Cérès, elle s'avéra être la première des petites planètes, ou astéroïdes.

Giuseppe Piazzi (1746-1826)

Echantillon de météorite composé de nickel et de fer

L'EXPLOITATION DES ASTÉROÏDES : UN RÊVE DU FUTUR

Les astéroïdes métalliques sont riches en fer, mais aussi en nickel et en d'autres métaux rares sur Terre. De plus, les métaux que l'on y trouve sont purs et non pas à l'état de minerai, comme sur Terre, ce qui les rend plus faciles à extraire. Aussi, quand les réserves de ces métaux commenceront à s'épuiser sur notre planète, il sera peut-être possible d'envoyer des astronautes ou des robots exploiter les astéroïdes et rapporter les matériaux extraits sur Terre. Les astéroïdes qui s'approchent le plus près de la Terre seraient les premiers visés.

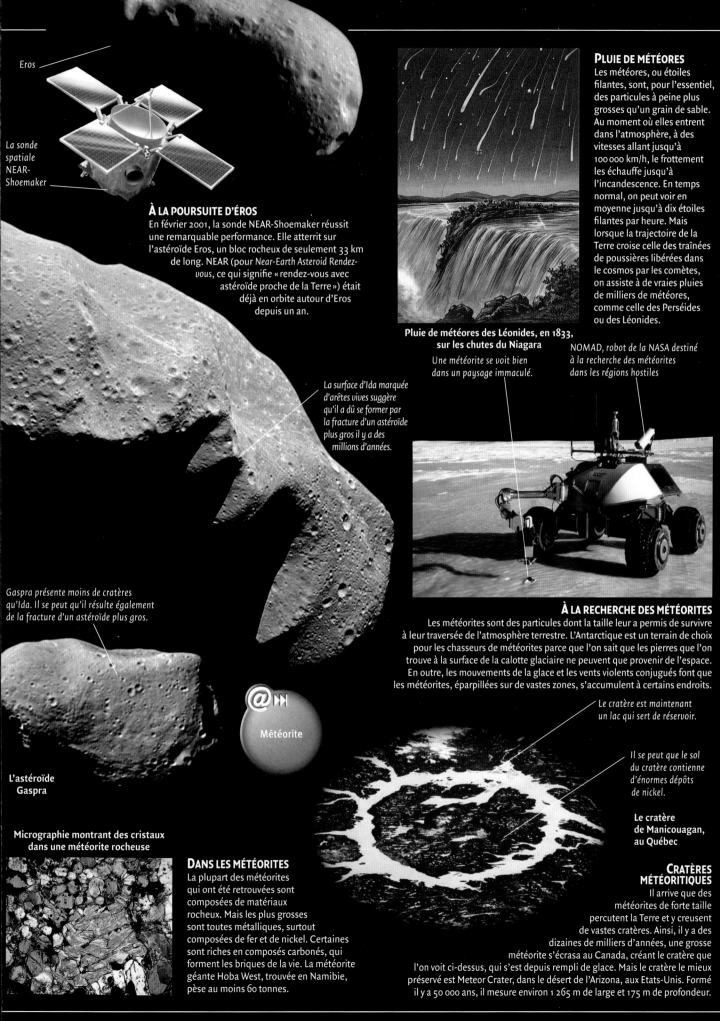

Eros

La sonde spatiale NEAR-Shoemaker

À LA POURSUITE D'ÉROS

En février 2001, la sonde NEAR-Shoemaker réussit une remarquable performance. Elle atterrit sur l'astéroïde Eros, un bloc rocheux de seulement 33 km de long. NEAR (pour *Near-Earth Asteroid Rendezvous*, ce qui signifie «rendez-vous avec astéroïde proche de la Terre») était déjà en orbite autour d'Eros depuis un an.

PLUIE DE MÉTÉORES

Les météores, ou étoiles filantes, sont, pour l'essentiel, des particules à peine plus grosses qu'un grain de sable. Au moment où elles entrent dans l'atmosphère, à des vitesses allant jusqu'à 100 000 km/h, le frottement les échauffe jusqu'à l'incandescence. En temps normal, on peut voir en moyenne jusqu'à dix étoiles filantes par heure. Mais lorsque la trajectoire de la Terre croise celle des traînées de poussières libérées dans le cosmos par les comètes, on assiste à de vraies pluies de milliers de météores, comme celle des Perséides ou des Léonides.

Pluie de météores des Léonides, en 1833, sur les chutes du Niagara

Une météorite se voit bien dans un paysage immaculé.

NOMAD, robot de la NASA destiné à la recherche des météorites dans les régions hostiles

La surface d'Ida marquée d'arêtes vives suggère qu'il a dû se former par la fracture d'un astéroïde plus gros il y a des millions d'années.

Gaspra présente moins de cratères qu'Ida. Il se peut qu'il résulte également de la fracture d'un astéroïde plus gros.

À LA RECHERCHE DES MÉTÉORITES

Les météorites sont des particules dont la taille leur a permis de survivre à leur traversée de l'atmosphère terrestre. L'Antarctique est un terrain de choix pour les chasseurs de météorites parce que l'on sait que les pierres que l'on trouve à la surface de la calotte glaciaire ne peuvent que provenir de l'espace. En outre, les mouvements de la glace et les vents violents conjugués font que les météorites, éparpillées sur de vastes zones, s'accumulent à certains endroits.

L'astéroïde Gaspra

@ ▶▶

Météorite

Le cratère est maintenant un lac qui sert de réservoir.

Il se peut que le sol du cratère contienne d'énormes dépôts de nickel.

Le cratère de Manicouagan, au Québec

Micrographie montrant des cristaux dans une météorite rocheuse

DANS LES MÉTÉORITES

La plupart des météorites qui ont été retrouvées sont composées de matériaux rocheux. Mais les plus grosses sont toutes métalliques, surtout composées de fer et de nickel. Certaines sont riches en composés carbonés, qui forment les briques de la vie. La météorite géante Hoba West, trouvée en Namibie, pèse au moins 60 tonnes.

CRATÈRES MÉTÉORITIQUES

Il arrive que des météorites de forte taille percutent la Terre et y creusent de vastes cratères. Ainsi, il y a des dizaines de milliers d'années, une grosse météorite s'écrasa au Canada, créant le cratère que l'on voit ci-dessus, qui s'est depuis rempli de glace. Mais le cratère le mieux préservé est Meteor Crater, dans le désert de l'Arizona, aux Etats-Unis. Formé il y a 50 000 ans, il mesure environ 1 265 m de large et 175 m de profondeur.

LES COMÈTES : VAGABONDES DE GLACE

Au-delà de l'orbite de Pluton gravitent d'immenses nuages composés de blocs de glace sales, résidus de la formation du Système solaire. Avec un diamètre moyen de 10 km seulement, ils sont normalement invisibles. Mais de temps à autre, la trajectoire de l'un de ces blocs se trouve perturbée et l'amène à se rapprocher du Soleil. La chaleur de ce dernier fait alors fondre la glace, libérant des traînées de gaz et de poussières qui renvoient la lumière. Ainsi se forment les comètes, les plus spectaculaires des corps célestes. Rivalisant avec les planètes les plus lumineuses, leur queue peut atteindre des millions de kilomètres de long. Jadis, les comètes, qui semblaient surgir de nulle part, étaient perçues comme des signes de mauvais augure, apportant famines, maladies, mort et destruction.

DES RETOURS REMARQUÉS

Dans sa célèbre toile, L'Adoration des Rois mages, le peintre florentin Giotto (v. 1266-1337) dépeint l'Étoile de Bethléem sous la forme d'une comète, en se basant sur l'observation de l'une d'elles, qu'il avait réalisée en 1301. Il s'agissait en fait de l'une des apparitions régulières de la comète de Halley, dont l'orbite s'approche du Soleil tous les 76 ans. Les retours de cette comète ont été relevés depuis l'an 240 av. J.-C.

Un panache de gaz explose à la surface.

AU CŒUR DE LA COMÈTE

En mars 1986, la sonde spatiale Giotto réalisa de spectaculaires photos rapprochées de la comète de Halley. Ces photos montraient de brillants jets de gaz jaillissant du noyau central. D'une forme rappelant celle d'une pomme de terre, la comète mesure environ 16 km de long et à peu près 8 km de large. Sa surface est accidentée et comme couverte de collines et de cratères. Elle est également très sombre. Une fois analysées, les émanations de gaz s'avérèrent composées à 80 % de vapeur d'eau. Elles contenaient aussi des traces de composés organiques à base de carbone. Certains astronomes pensent que les comètes pourraient disperser ces « briques de la vie » à travers la galaxie.

La queue gazeuse jaillit tout droit à l'opposé du Soleil, emportée par le vent solaire.

De la poussière sombre recouvre le noyau.

Le gaz devient incandescent lorsqu'il est frappé par les particules du vent solaire.

La surface sombre absorbe la lumière du Soleil.

Le noyau est caché par la coma incandescente.

DE FRAGILES BOULES DE NEIGE SALES

Telles des boules de neige, les comètes n'ont pas une très forte cohésion et il arrive fréquemment qu'elles se brisent. Au début du mois de juillet 1992, l'une d'elles passa très près de Jupiter et fut disloquée par la gravité de la planète géante. Au printemps suivant, les fragments furent repérés par Carolyn et Gene Shoemaker ainsi que par David Levy, chasseurs de comètes. Rapidement, il devint évident que ces fragments, appelés Shoemaker-Levy 9, allaient entrer en collision avec Jupiter, ce qui se produisit en juillet 1994.

Comète

LA COMÈTE DU SIÈCLE

Au printemps 1997, le ciel de notre Terre fut dominé par l'une des comètes les plus brillantes du XXᵉ siècle. Elle avait été découverte par les astronomes américains Alan Hale et Thomas Bopp deux ans auparavant. La comète Hale-Bopp éclipsa en luminosité toutes les autres étoiles ou presque, et elle resta dans le ciel durant plusieurs semaines. Dans son sillage, derrière la tête lumineuse appelée coma, ses deux queues étaient bien développées. Comme chez toutes les comètes, l'une était jaunâtre et courbe, composée de poussières, l'autre, ionisée, était droite et bleue, composée de gaz. Le noyau d'Hale-Bopp, très gros pour une comète, mesurait 30 à 40 km.

Orbite de Saturne

Les comètes voyagent en orbite autour du Soleil, tout comme les planètes. Mais, d'ordinaire, elles ne suivent pas le même plan, pouvant se rapprocher de notre étoile depuis n'importe quelle direction. La plupart du temps, elles restent à l'état de boule de glace. Ce n'est que lorsqu'elles arrivent à l'intérieur de l'orbite de Saturne qu'elles commencent à se réchauffer et à luire. Tandis qu'une comète se rapproche du Soleil, ses queues se forment, pointant toujours dans la direction opposée au Soleil.

Quand elle s'approche du Soleil, la queue est derrière la comète.

Quand elle s'éloigne du Soleil, la queue précède la comète.

Orbite d'Uranus

Les comètes issues de la ceinture de Kuiper ont une courte périodicité, de l'ordre de quelques dizaines d'années.

Orbite de Neptune

Les comètes issues du nuage de Oort ont une orbite plus longue et une période qui se mesure en siècles, voire davantage.

EDMOND HALLEY

L'astronome Edmond Halley (1656-1742) fut le premier à découvrir que certaines comètes visitaient régulièrement le ciel de notre Terre. En 1682, il observa une comète et, après avoir vérifié les orbites de comètes observées dans le passé, il en déduisit qu'il s'agissait de la même comète, apparue en 1531 et en 1607. Il prédit son retour pour 1758. Lorsque la comète refit son apparition à la date prévue, on lui donna le nom de Halley. En général, une comète reçoit le nom de la personne qui l'a découverte.

La queue de poussière se courbe sous l'effet de la gravité du Soleil.

La queue de poussière n'est autre que la poussière libérée par la comète brillant dans la lumière solaire.

RÉSERVOIRS DE COMÈTES

Les comètes voyagent vers le Soleil depuis les abords du Système solaire, où se trouvent de grands réservoirs de corps glacés. Nombre d'entre elles proviennent de la ceinture de Kuiper, une région qui s'étend sur 3 milliards de km au-delà de l'orbite de Neptune. D'autres viennent du nuage de Oort, bien plus éloigné encore, sorte de coquille sphérique contenant des milliards de comètes. Ce nuage s'étendrait jusqu'à une année-lumière de distance du Soleil.

L'INCIDENT DE LA TUNGUSKA

Le 30 juin 1908, une terrible explosion eut lieu en Sibérie, près de la rivière Tunguska, générant une boule de feu aveuglante et une onde de choc évoquant celle d'une explosion nucléaire. En un instant, 60 000 arbres furent couchés et brûlèrent. Personne ne connaît exactement la cause de cet événement. Mais les astronomes pensent qu'il s'agissait peut-être de l'impact avec l'atmosphère, à une très grande vitesse, d'un morceau de noyau de comète, l'explosion s'étant produite à 6 000 m du sol.

À LA DÉCOUVERTE DES SOLEILS LOINTAINS

Par temps clair, avec beaucoup de patience, on peut compter à l'œil nu au moins 2 500 étoiles dans le ciel. Avec une paire de jumelles ou un petit télescope, on peut en voir des millions d'autres. Elles donnent l'impression d'être de faibles points lumineux, de la taille d'une tête d'épingle. Un voyage de plusieurs billions de kilomètres pour les voir de près nous révélerait en fait d'énormes corps lumineux semblables au Soleil. La lumière de Proxima du Centaure, pourtant la plus proche des étoiles, met plus de quatre ans à nous parvenir ; cette étoile est donc à quatre années-lumière de la Terre. Les astronomes utilisent souvent l'année-lumière (distance parcourue par la lumière en une année) comme unité de distance astronomique. Ils utilisent aussi le parsec, qui équivaut à 3,26 années-lumière.

UN UNIVERS D'ÉTOILES

Dans les nuages d'étoiles très denses de la Voie lactée, les étoiles se comptent par millions et semblent littéralement entassées les unes sur les autres. Il existe une grande variété d'étoiles, qui diffèrent par leur clarté, leur couleur, leur taille et leur poids. Dans notre galaxie (qui est un «îlot d'étoiles» dans l'espace), on en compte quelque 200 milliards. Les galaxies semblables à la nôtre se dénombrent par milliards dans l'Univers.

Les étoiles du nuage du Sagittaire

Ce nuage d'étoiles se situe à 25 000 années-lumière de la Terre, vers le centre de la Voie lactée.

Gamma de Cassiopée (615 années-lumière)

Epsilon de Cassiopée (440 années-lumière)

Distances entre les étoiles de Cassiopée (l'échelle n'est pas respectée)

Béta de Cassiopée (54 années-lumière)

Alpha de Cassiopée (240 années-lumière)

Le grand W formé par les étoiles de la constellation de Cassiopée vue de la Terre

Delta de Cassiopée (100 années-lumière)

ÉTOILES ET CONSTELLATIONS

Certaines étoiles lumineuses forment des dessins caractéristiques dans le ciel ; dessins que l'on appelle les constellations. Les astronomes de l'Antiquité leur donnèrent les noms de personnages tirés de leur mythologie. Dans les constellations, les étoiles semblent groupées dans le ciel. Bien souvent, elles ne le sont pas. Elles donnent cette impression simplement parce que, dans l'espace, elles sont situées sensiblement dans la même direction par rapport à la Terre. Cela implique aussi que des étoiles qui semblent avoir la même luminosité peuvent être en fait très différentes si elles sont situées à des distances inégales.

LA DISTANCE DES ÉTOILES

La distance qui nous sépare des étoiles les plus proches (quelques centaines) peut être mesurée grâce à la méthode de la parallaxe. La parallaxe est le phénomène optique qui fait qu'un objet proche semble se déplacer par rapport à un arrière-plan plus éloigné quand on le regarde successivement de deux points distincts séparés par une certaine distance, d'abord d'un œil, puis de l'autre, par exemple. Les astronomes observent une étoile proche successivement lorsque la Terre se trouve en deux points diamétralement opposés de son orbite. Ils mesurent alors de combien l'étoile semble bouger sur l'arrière-plan, par rapport à d'autres étoiles plus éloignées. De ces variations dans la parallaxe, ils déduisent la distance de l'étoile à la Terre.

Etoile éloignée

La parallaxe est plus grande pour l'étoile B proche que pour l'étoile A, plus distante.

Étoile A

Étoile B

Parallaxe : variation apparente de la position de l'étoile sur son arrière-plan

Ligne de mire en direction de l'étoile B

Ligne de mire en direction de l'étoile A

Position de la Terre en janvier

Position de la Terre en juillet

Soleil

Bételgeuse (magnitude 0.8)

Magnitude et luminosité réelle
Rigel et Bételgeuse ont sensiblement la même magnitude mais, en réalité, Rigel est deux fois plus éloignée et cinq fois plus lumineuse.

Rigel (magnitude 0.1)

LA MAGNITUDE DES ÉTOILES

Les étoiles d'une même constellation varient beaucoup en luminosité, comme on le voit ici dans la constellation d'Orion. La luminosité d'une étoile est appelée magnitude ; elle se mesure sur une échelle introduite il y a plus de 2 000 ans par l'astronome grec Hipparque. Celui-ci attribua arbitrairement aux étoiles les plus brillantes la première magnitude, et aux plus faibles d'entre elles la magnitude six. De nos jours, on a étendu cette échelle à des magnitudes négatives pour des étoiles très brillantes et au-delà de 6 pour celles qui sont trop faibles pour être détectées à l'œil nu.

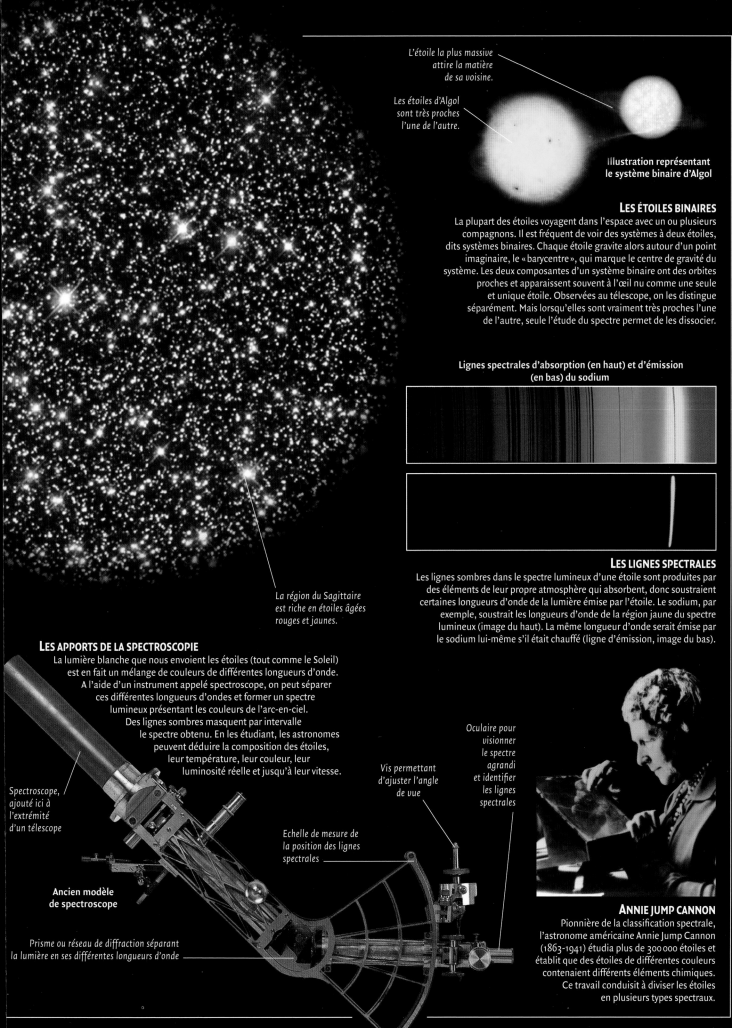

L'étoile la plus massive
attire la matière
de sa voisine.

Les étoiles d'Algol
sont très proches
l'une de l'autre.

**Illustration représentant
le système binaire d'Algol**

LES ÉTOILES BINAIRES

La plupart des étoiles voyagent dans l'espace avec un ou plusieurs
compagnons. Il est fréquent de voir des systèmes à deux étoiles,
dits systèmes binaires. Chaque étoile gravite alors autour d'un point
imaginaire, le «barycentre», qui marque le centre de gravité du
système. Les deux composantes d'un système binaire ont des orbites
proches et apparaissent souvent à l'œil nu comme une seule
et unique étoile. Observées au télescope, on les distingue
séparément. Mais lorsqu'elles sont vraiment très proches l'une
de l'autre, seule l'étude du spectre permet de les dissocier.

**Lignes spectrales d'absorption (en haut) et d'émission
(en bas) du sodium**

LES LIGNES SPECTRALES

Les lignes sombres dans le spectre lumineux d'une étoile sont produites par
des éléments de leur propre atmosphère qui absorbent, donc soustraient
certaines longueurs d'onde de la lumière émise par l'étoile. Le sodium, par
exemple, soustrait les longueurs d'onde de la région jaune du spectre
lumineux (image du haut). La même longueur d'onde serait émise par
le sodium lui-même s'il était chauffé (ligne d'émission, image du bas).

La région du Sagittaire
est riche en étoiles âgées
rouges et jaunes.

LES APPORTS DE LA SPECTROSCOPIE

La lumière blanche que nous envoient les étoiles (tout comme le Soleil)
est en fait un mélange de couleurs de différentes longueurs d'onde.
A l'aide d'un instrument appelé spectroscope, on peut séparer
ces différentes longueurs d'ondes et former un spectre
lumineux présentant les couleurs de l'arc-en-ciel.
Des lignes sombres masquent par intervalle
le spectre obtenu. En les étudiant, les astronomes
peuvent déduire la composition des étoiles,
leur température, leur couleur, leur
luminosité réelle et jusqu'à leur vitesse.

Oculaire pour
visionner
le spectre
agrandi
et identifier
les lignes
spectrales

Vis permettant
d'ajuster l'angle
de vue

Spectroscope,
ajouté ici à
l'extrémité
d'un télescope

Echelle de mesure de
la position des lignes
spectrales

**Ancien modèle
de spectroscope**

Prisme ou réseau de diffraction séparant
la lumière en ses différentes longueurs d'onde

ANNIE JUMP CANNON

Pionnière de la classification spectrale,
l'astronome américaine Annie Jump Cannon
(1863-1941) étudia plus de 300 000 étoiles et
établit que des étoiles de différentes couleurs
contenaient différents éléments chimiques.
Ce travail conduisit à diviser les étoiles
en plusieurs types spectraux.

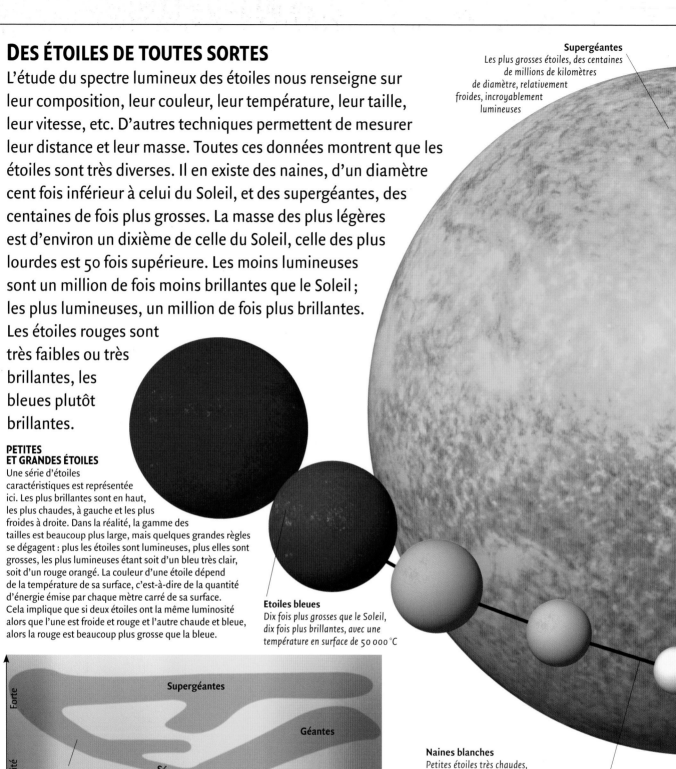

DES ÉTOILES DE TOUTES SORTES

L'étude du spectre lumineux des étoiles nous renseigne sur leur composition, leur couleur, leur température, leur taille, leur vitesse, etc. D'autres techniques permettent de mesurer leur distance et leur masse. Toutes ces données montrent que les étoiles sont très diverses. Il en existe des naines, d'un diamètre cent fois inférieur à celui du Soleil, et des supergéantes, des centaines de fois plus grosses. La masse des plus légères est d'environ un dixième de celle du Soleil, celle des plus lourdes est 50 fois supérieure. Les moins lumineuses sont un million de fois moins brillantes que le Soleil ; les plus lumineuses, un million de fois plus brillantes. Les étoiles rouges sont très faibles ou très brillantes, les bleues plutôt brillantes.

Supergéantes
Les plus grosses étoiles, des centaines de millions de kilomètres de diamètre, relativement froides, incroyablement lumineuses

PETITES ET GRANDES ÉTOILES
Une série d'étoiles caractéristiques est représentée ici. Les plus brillantes sont en haut, les plus chaudes, à gauche et les plus froides à droite. Dans la réalité, la gamme des tailles est beaucoup plus large, mais quelques grandes règles se dégagent : plus les étoiles sont lumineuses, plus elles sont grosses, les plus lumineuses étant soit d'un bleu très clair, soit d'un rouge orangé. La couleur d'une étoile dépend de la température de sa surface, c'est-à-dire de la quantité d'énergie émise par chaque mètre carré de sa surface. Cela implique que si deux étoiles ont la même luminosité alors que l'une est froide et rouge et l'autre chaude et bleue, alors la rouge est beaucoup plus grosse que la bleue.

Etoiles bleues
Dix fois plus grosses que le Soleil, dix fois plus brillantes, avec une température en surface de 50 000 °C

Supergéantes

Géantes

Forte

Luminosité

Faible

Séquence principale

Les zones grisées montrent les endroits où l'on trouve le plus d'étoiles.

Position du Soleil

Naines blanches

Haute — Température — Basse

LE DIAGRAMME DE HERTZSPRUNG-RUSSELL ET L'ÉVOLUTION STELLAIRE
Le diagramme de Hertzsprung-Russell (ou diagramme HR) permet de traduire la relation qui existe entre la luminosité des étoiles, leur couleur et leur température. Les caractéristiques de la grande majorité des étoiles les classent le long d'une bande diagonale qui va du rouge pâle au bleu vif et que l'on appelle la séquence principale. Les étoiles conservent ces caractéristiques la majeure partie de leur vie. Elles ne s'écartent de la séquence principale que vers la fin de leur vie, au moment où elles deviennent plus grosses et plus brillantes.

Naines blanches
Petites étoiles très chaudes, leur taille n'excède pas celle de la Terre.

Ligne de la séquence principale

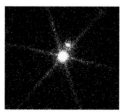

LA PREMIÈRE NAINE
Les étoiles comme notre Soleil finissent leur vie sous forme de naines blanches qui, peu à peu, s'éteignent. La faible compagne de Sirius appelée Sirius B (ci-contre), fut la première naine blanche découverte par l'astronome américain Alvan Clark en 1862. Sirius B se révéla particulièrement chaude et dense.

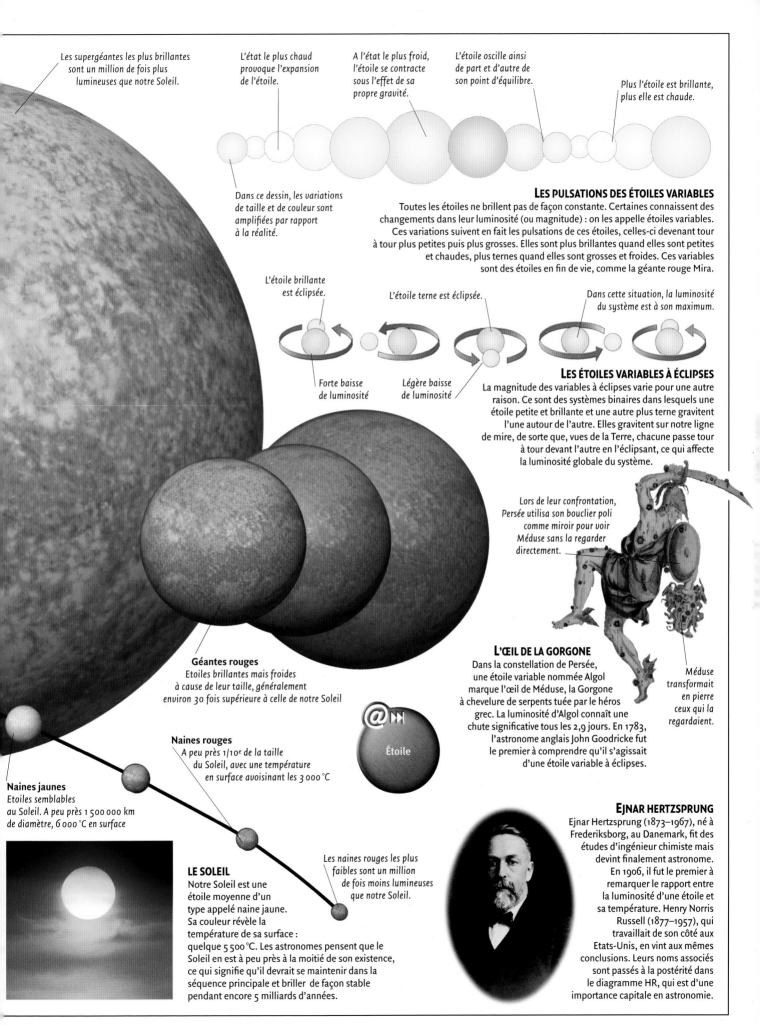

Les supergéantes les plus brillantes sont un million de fois plus lumineuses que notre Soleil.

L'état le plus chaud provoque l'expansion de l'étoile.

A l'état le plus froid, l'étoile se contracte sous l'effet de sa propre gravité.

L'étoile oscille ainsi de part et d'autre de son point d'équilibre.

Plus l'étoile est brillante, plus elle est chaude.

Dans ce dessin, les variations de taille et de couleur sont amplifiées par rapport à la réalité.

LES PULSATIONS DES ÉTOILES VARIABLES

Toutes les étoiles ne brillent pas de façon constante. Certaines connaissent des changements dans leur luminosité (ou magnitude) : on les appelle étoiles variables. Ces variations suivent en fait les pulsations de ces étoiles, celles-ci devenant tour à tour plus petites puis plus grosses. Elles sont plus brillantes quand elles sont petites et chaudes, plus ternes quand elles sont grosses et froides. Ces variables sont des étoiles en fin de vie, comme la géante rouge Mira.

L'étoile brillante est éclipsée.

L'étoile terne est éclipsée.

Dans cette situation, la luminosité du système est à son maximum.

Forte baisse de luminosité

Légère baisse de luminosité

LES ÉTOILES VARIABLES À ÉCLIPSES

La magnitude des variables à éclipses varie pour une autre raison. Ce sont des systèmes binaires dans lesquels une étoile petite et brillante et une autre plus terne gravitent l'une autour de l'autre. Elles gravitent sur notre ligne de mire, de sorte que, vues de la Terre, chacune passe tour à tour devant l'autre en l'éclipsant, ce qui affecte la luminosité globale du système.

Lors de leur confrontation, Persée utilisa son bouclier poli comme miroir pour voir Méduse sans la regarder directement.

L'ŒIL DE LA GORGONE

Dans la constellation de Persée, une étoile variable nommée Algol marque l'œil de Méduse, la Gorgone à chevelure de serpents tuée par le héros grec. La luminosité d'Algol connaît une chute significative tous les 2,9 jours. En 1783, l'astronome anglais John Goodricke fut le premier à comprendre qu'il s'agissait d'une étoile variable à éclipses.

Méduse transformait en pierre ceux qui la regardaient.

Géantes rouges
Etoiles brillantes mais froides à cause de leur taille, généralement environ 30 fois supérieure à celle de notre Soleil

Naines rouges
A peu près 1/10e de la taille du Soleil, avec une température en surface avoisinant les 3 000 °C

@▶▶
Étoile

Naines jaunes
Etoiles semblables au Soleil. A peu près 1 500 000 km de diamètre, 6 000 °C en surface

LE SOLEIL
Notre Soleil est une étoile moyenne d'un type appelé naine jaune. Sa couleur révèle la température de sa surface : quelque 5 500 °C. Les astronomes pensent que le Soleil en est à peu près à la moitié de son existence, ce qui signifie qu'il devrait se maintenir dans la séquence principale et briller de façon stable pendant encore 5 milliards d'années.

Les naines rouges les plus faibles sont un million de fois moins lumineuses que notre Soleil.

EJNAR HERTZSPRUNG
Ejnar Hertzsprung (1873–1967), né à Frederiksborg, au Danemark, fit des études d'ingénieur chimiste mais devint finalement astronome. En 1906, il fut le premier à remarquer le rapport entre la luminosité d'une étoile et sa température. Henry Norris Russell (1877–1957), qui travaillait de son côté aux Etats-Unis, en vint aux mêmes conclusions. Leurs noms associés sont passés à la postérité dans le diagramme HR, qui est d'une importance capitale en astronomie.

ENTRE AMAS ET NÉBULEUSES

Partout, dans le ciel nocturne, on devine des masses aux contours imprécis. Au télescope, certaines de ces masses se révèlent être des groupes d'étoiles très rapprochées les unes des autres ; on les nomme amas. Les « amas ouverts » sont formés de quelques centaines d'étoiles assez dispersées, généralement jeunes (les étoiles naissent plus souvent en groupes que seules). Les « amas globulaires » sont constitués de milliers d'étoiles rassemblées en groupes sphériques très denses. D'autres de ces masses indistinctes sont d'immenses nuages de gaz lumineux : les nébuleuses (du latin nebula, qui signifie « nuage »). Ce sont des régions du cosmos où le milieu interstellaire, c'est-à-dire la matière normalement très ténue et invisible qui occupe l'espace entre les étoiles, est plus dense et peut devenir visible s'il est éclairé ou luminescent. C'est dans les zones les plus opaques et les plus denses des nébuleuses que naissent les étoiles.

Alcyone

LES AMAS OUVERTS

Le plus connu des amas ouverts est celui des Pléiades, dans la constellation du Taureau. On l'appelle aussi « les Sept Sœurs » car, avec de bons yeux, on y dénombre sept étoiles très brillantes. Les Pléiades contiennent en tout plus de 100 étoiles, toutes chaudes, bleues et jeunes (elles ont probablement moins de 80 millions d'années). La plupart des amas ouverts contiennent des étoiles de ce type.

@ ▶▶

Nébuleuse

Pléione

Atlas

*Oméga du Centaure,
un amas globulaire
des plus spectaculaires*

DES GLOBULES D'ÉTOILES

Les amas globulaires sont faits de centaines de milliers d'étoiles entassées en boule. Ils contiennent essentiellement des étoiles anciennes, généralement âgées de près de 10 milliards d'années. Tandis que les amas ouverts se rencontrent dans le disque de notre galaxie, les amas globulaires se situent, quant à eux, au centre de celle-ci, dans un halo sphérique qui dépasse le disque au-dessus et en dessous. Les amas globulaires sont en orbite autour du noyau central de la galaxie.

Mérope

ENTRE LES ÉTOILES

Le milieu interstellaire est composé surtout d'hydrogène gazeux et de poussières. Il contient aussi des traces de nombreux autres composés, parmi lesquels de l'eau, de l'alcool, du sulfure d'hydrogène et de l'ammoniaque. Au total, le milieu interstellaire représente un dixième de la masse de notre galaxie. Pour l'essentiel invisible car très ténu, il devient visible dans les régions gazeuses plus denses que forment les nébuleuses claires et sombres.

Astérope

Taygeta

Maia

Célaeno

Electra

Nébuleuse par réflexion entourant les jeunes étoiles

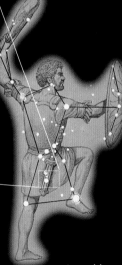

LES NÉBULEUSES SOMBRES

Si certains nuages de gaz et de poussières sont éclairés, d'autres ne le sont pas et restent sombres. On ne les distingue que parce qu'ils occultent la lumière d'étoiles ou de nuages gazeux lumineux situés derrière eux. Dans la constellation d'Orion, la nébuleuse de la Tête de Cheval (ci-dessus), bien connue, en fait partie. Une autre, dans l'hémisphère Sud, est appelée le Sac de Charbon, dans la Croix du Sud. Les nébuleuses sombres sont généralement froides — environ −260 °C — et constituées surtout de molécules d'hydrogène. Les étoiles naissent dans de tels nuages moléculaires.

M42, la nébuleuse d'Orion

La position de M42 dans Orion

LES NÉBULEUSES CLAIRES

De nombreux nuages de gaz sont illuminés par les étoiles, formant les nébuleuses claires. Elles comptent parmi les plus beaux spectacles que le ciel nous donne à voir. Parfois, les nuages ne font que refléter la lumière d'étoiles proches : ce sont alors des nébuleuses par réflexion. Mais souvent, les rayonnements proviennent d'étoiles situées au cœur même du nuage gazeux et celles-ci transmettent un surcroît d'énergie aux molécules de gaz qui se mettent à émettre elles-mêmes des radiations lumineuses. Elles forment alors des nébuleuses par émission. La célèbre nébuleuse d'Orion (M 42, ci-dessus) est une nébuleuse par émission.

VESTIGES D'ÉTOILES

Les étoiles naissent des nébuleuses et donnent naissance à d'autres nébuleuses quand elles meurent. Ainsi, sur la fin de leur vie, celles du type de notre Soleil grossissent dans un premier temps, deviennent des géantes rouges puis s'effondrent en minuscules naines blanches. Dans le même temps, elles rejettent des masses de gaz qui forment des nébuleuses planétaires. Certaines de ces nébuleuses sont de forme circulaire et ressemblent aux disques des planètes. D'autres, comme la nébuleuse de la Fourmi (ci-contre), émettent des jets lumineux.

LE CATALOGUE DE MESSIER

L'astronome français Charles Messier (1730-1817) était surnommé le « furet des comètes » tant il était habile à en trouver de nouvelles. Il en découvrit une quinzaine. Messier établit également un catalogue dans lequel il répertoria des nébuleuses et amas d'étoiles que l'on pouvait confondre avec des comètes. Ce catalogue, enrichi depuis, compte aujourd'hui 109 objets identifiés par leur Nombre de Messier (M42, par exemple).

Au centre, le noyau s'échauffe.

LES ÉTOILES NÉES DU GAZ ET DE LA POUSSIÈRE

Les étoiles naissent dans les immenses et sombres nuages de gaz et de poussières qui occupent l'espace interstellaire. Ces « nuages moléculaires géants » sont très froids (environ −260 °C) et principalement constitués d'hydrogène. En leur sein, par endroits, la gravité tend à concentrer les molécules. Au cœur même de ces concentrations, on trouve des régions encore plus denses, les noyaux, à partir desquels les étoiles se forment. Au-delà d'une certaine masse, le noyau s'effondre sur lui-même sous l'effet de sa propre gravité qui comprime la matière en son centre. La région centrale se trouve alors de plus en plus comprimée et de plus en plus chaude. Désormais appelée protoétoile, elle commence à luire. Quand elle atteint environ 10 millions de degrés, les réactions de fusion nucléaire s'amorcent et la nouvelle étoile commence à briller.

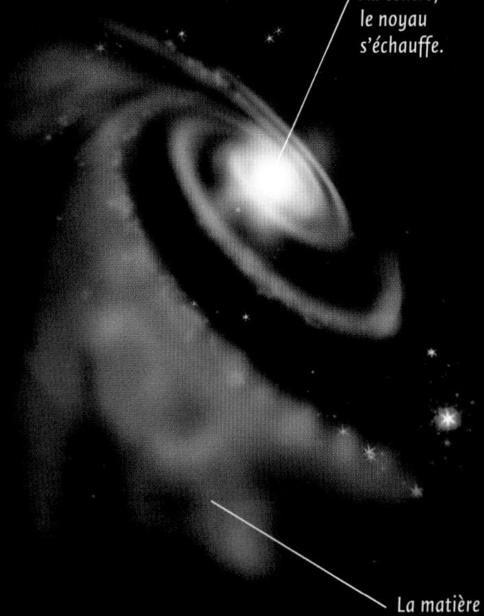

La matière s'enroule en spirale.

DANS UN TOURBILLON

Les nuages moléculaires qui font naître les étoiles dérivent lentement dans l'espace. Quand, au cours de la formation d'une étoile, le noyau de matière s'effondre sur lui-même, il entre en rotation. Plus il devient petit, plus il tourne vite. La matière en train de s'effondrer, avec, en son cœur, la protoétoile qui commence à luire, prend la forme d'un disque sous l'effet de la rotation.

PÉPINIÈRES D'ÉTOILES

Les étoiles naissent en grand nombre dans les nuages moléculaires géants présents partout dans l'espace. M16, la nébuleuse de l'Aigle (dans la queue de la constellation du Serpent), est l'une de ces pépinières d'étoiles. Le télescope Hubble a réalisé de spectaculaires photos de colonnes sombres que l'on surnomme « les piliers de la création ». L'image ci-dessous représente le sommet d'un de ces piliers : elle montre des masses gazeuses digitées (en forme de doigt). C'est là plus particulièrement que se déroule la formation des étoiles.

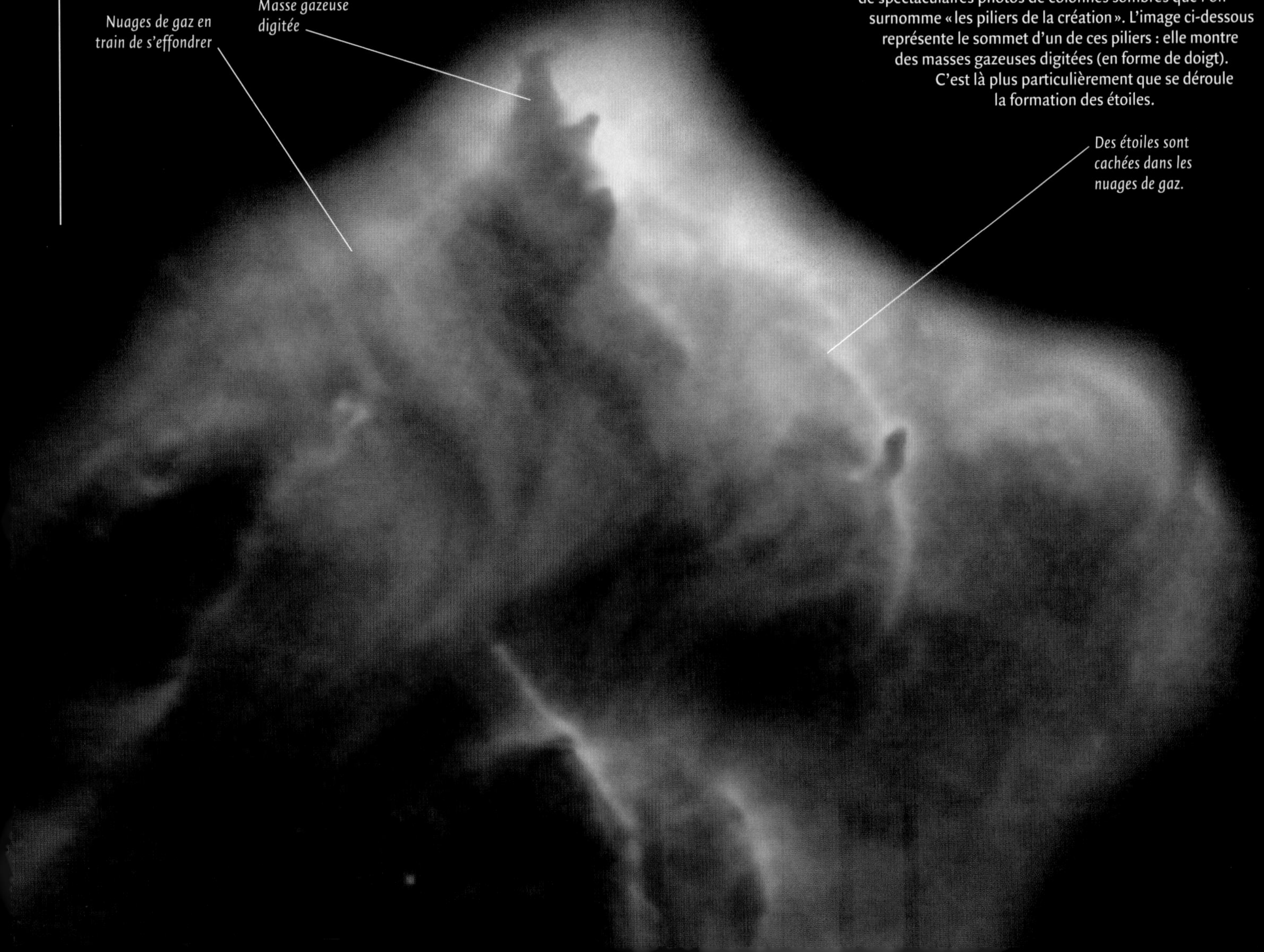

Masse gazeuse digitée

Nuages de gaz en train de s'effondrer

Des étoiles sont cachées dans les nuages de gaz.

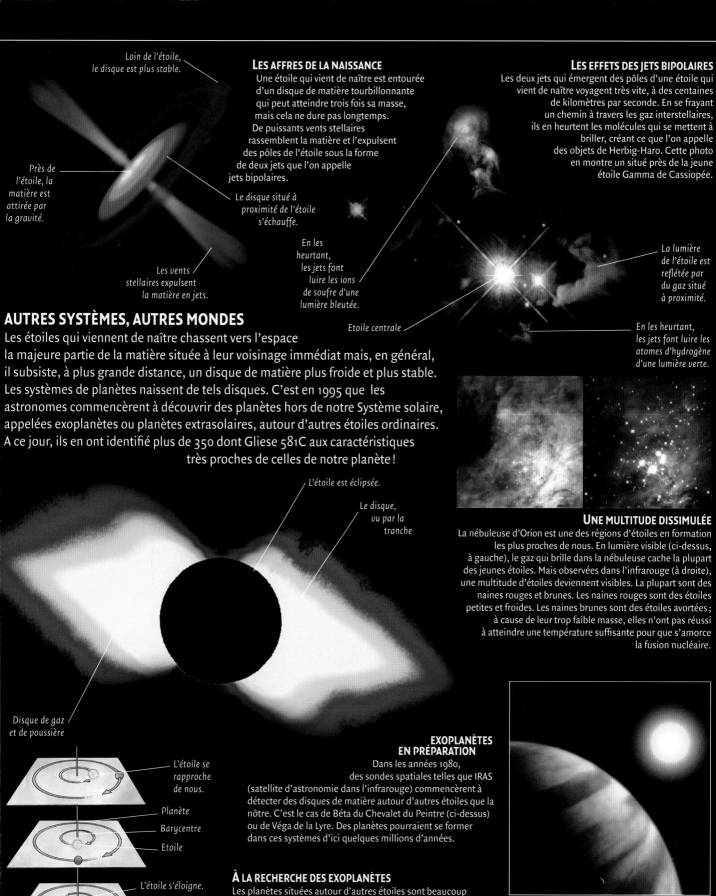

Loin de l'étoile, le disque est plus stable.

LES AFFRES DE LA NAISSANCE

Une étoile qui vient de naître est entourée d'un disque de matière tourbillonnante qui peut atteindre trois fois sa masse, mais cela ne dure pas longtemps. De puissants vents stellaires rassemblent la matière et l'expulsent des pôles de l'étoile sous la forme de deux jets que l'on appelle jets bipolaires.

LES EFFETS DES JETS BIPOLAIRES

Les deux jets qui émergent des pôles d'une étoile qui vient de naître voyagent très vite, à des centaines de kilomètres par seconde. En se frayant un chemin à travers les gaz interstellaires, ils en heurtent les molécules qui se mettent à briller, créant ce que l'on appelle des objets de Herbig-Haro. Cette photo en montre un situé près de la jeune étoile Gamma de Cassiopée.

Près de l'étoile, la matière est attirée par la gravité.

Le disque situé à proximité de l'étoile s'échauffe.

Les vents stellaires expulsent la matière en jets.

En les heurtant, les jets font luire les ions de soufre d'une lumière bleutée.

Etoile centrale

La lumière de l'étoile est reflétée par du gaz situé à proximité.

En les heurtant, les jets font luire les atomes d'hydrogène d'une lumière verte.

AUTRES SYSTÈMES, AUTRES MONDES

Les étoiles qui viennent de naître chassent vers l'espace la majeure partie de la matière située à leur voisinage immédiat mais, en général, il subsiste, à plus grande distance, un disque de matière plus froide et plus stable. Les systèmes de planètes naissent de tels disques. C'est en 1995 que les astronomes commencèrent à découvrir des planètes hors de notre Système solaire, appelées exoplanètes ou planètes extrasolaires, autour d'autres étoiles ordinaires. A ce jour, ils en ont identifié plus de 350 dont Gliese 581C aux caractéristiques très proches de celles de notre planète !

L'étoile est éclipsée.

Le disque, vu par la tranche

UNE MULTITUDE DISSIMULÉE

La nébuleuse d'Orion est une des régions d'étoiles en formation les plus proches de nous. En lumière visible (ci-dessus, à gauche), le gaz qui brille dans la nébuleuse cache la plupart des jeunes étoiles. Mais observées dans l'infrarouge (à droite), une multitude d'étoiles deviennent visibles. La plupart sont des naines rouges et brunes. Les naines rouges sont des étoiles petites et froides. Les naines brunes sont des étoiles avortées ; à cause de leur trop faible masse, elles n'ont pas réussi à atteindre une température suffisante pour que s'amorce la fusion nucléaire.

Disque de gaz et de poussière

L'étoile se rapproche de nous.

Planète

Barycentre

Etoile

L'étoile s'éloigne.

EXOPLANÈTES EN PRÉPARATION

Dans les années 1980, des sondes spatiales telles que IRAS (satellite d'astronomie dans l'infrarouge) commencèrent à détecter des disques de matière autour d'autres étoiles que la nôtre. C'est le cas de Béta du Chevalet du Peintre (ci-dessus) ou de Véga de la Lyre. Des planètes pourraient se former dans ces systèmes d'ici quelques millions d'années.

À LA RECHERCHE DES EXOPLANÈTES

Les planètes situées autour d'autres étoiles sont beaucoup trop faibles pour être vues directement. Les astronomes doivent les rechercher de manière indirecte, en observant leurs effets sur leur étoile. Lorsqu'une étoile est accompagnée d'une planète, toutes deux gravitent autour d'un même centre de gravité, ou barycentre. D'ordinaire, ce barycentre se trouve au cœur de l'étoile mais pas tout à fait en son centre exact. De fait, au cours d'une révolution, l'étoile vue depuis la Terre semble se rapprocher et s'éloigner de nous alternativement. Ce mouvement peut être détecté en examinant le décalage dans les lignes spectrales de l'étoile (p. 42).

GÉANTES GAZEUSES COMME JUPITER

Les premières exoplanètes furent détectées en 1991, autour d'un pulsar. Puis, en 1995, on trouvait une planète autour de 51 de Pégase, une étoile semblable au Soleil. Deux fois plus petite que Jupiter, elle gravite à seulement 10 millions de km de son étoile. A ce jour, la plupart des exoplanètes détectées sont plus lourdes que Jupiter et gravitent près de leur étoile.

LA MORT CATACLYSMIQUE DES ÉTOILES

Lorsque, dans le noyau d'une jeune étoile, s'amorcent les réactions de fusion nucléaire, celle-ci est propulsée dans la vie. Elle la passe à briller sans cesse jusqu'à l'épuisement de son combustible, l'hydrogène. Alors commence sa mort. Dans une première phase, elle devient plus brillante et augmente de volume dans des proportions énormes, se transformant en géante rouge ou en supergéante. La phase suivante dépend de la masse de l'étoile. Celles de faible masse éjectent leurs couches supérieures et s'éteignent lentement. Les plus massives meurent dans une spectaculaire explosion appelée supernova.

LONGÉVITÉ VARIABLE

Tant que l'hydrogène contenu en son cœur alimente la fusion nucléaire, l'étoile varie très peu en couleur et en luminosité. Sa durée de vie dépendra de sa masse. Des étoiles comme le Soleil consomment leur combustible lentement et peuvent ainsi briller pendant dix milliards d'années sans interruption.

LES GÉANTES ROUGES

Quand une étoile a épuisé l'hydrogène contenu dans son noyau, les réactions de fusion se déplacent vers une fine coquille qui entoure le noyau. La quantité de chaleur produite est alors si grande que l'atmosphère de l'étoile commence à se dilater. Tandis qu'elle s'étend, sa surface refroidit et la lumière émise tend vers le rouge : l'étoile est devenue une géante rouge. Dans le même temps, le noyau interne, composé d'hélium, s'effondre sur lui-même jusqu'à ce qu'il soit suffisamment chaud et dense pour que s'y amorcent de nouvelles réactions nucléaires. L'hélium est transformé en d'autres éléments plus lourds, et relance l'étoile pour environ deux milliards d'années.

LES SUPERGÉANTES

Dans les étoiles dont la masse est plus de huit fois supérieure à celle du Soleil, le noyau devient si chaud que le carbone et l'oxygène, produits par l'hélium en fusion, se transforment eux-mêmes en éléments plus lourds. L'étoile se dilate jusqu'à devenir une supergéante, bien plus grosse que ne l'est normalement une géante rouge.

LES NÉBULEUSES PLANÉTAIRES

Une fois qu'une géante rouge a épuisé l'hélium de son noyau, celui-ci s'effondre à nouveau, libérant une énergie qui éjecte dans l'espace les couches externes de l'étoile. Les radiations en provenance du noyau brûlant font briller les gaz éjectés, créant une nébuleuse planétaire en forme d'anneau.

LA CHANDELLE PAR LES DEUX BOUTS

Le noyau des étoiles plus massives que le Soleil est plus chaud et plus dense. Cela leur permet de brûler leur hydrogène d'une façon bien plus efficace, mais qui a pour effet de raccourcir considérablement leur espérance de vie. La stabilité des étoiles les plus lourdes ne dure que quelques millions d'années.

De nouvelles réactions nucléaires entraînent la production de sodium, de magnésium, de silicium, de soufre et d'autres éléments.

Le plus lourd des éléments produits est le fer.

Le noyau n'est pas représenté ici à l'échelle.

Le noyau développe une structure en couches superposées.

LES NAINES BLANCHES

Au cœur d'une nébuleuse planétaire, le noyau de l'étoile continue de s'effondrer au point que les électrons contenus dans les atomes se trouvent comprimés dans le noyau atomique. A ce moment, l'étoile initiale est devenue incroyablement chaude et dense. Toute sa matière est contenue dans une sphère à peu près de la même taille que la Terre : un volume de cette matière équivalant à celui d'une boîte d'allumettes pèse aussi lourd qu'un éléphant. C'est désormais une naine blanche. Sa petite taille la rend difficile à voir.

LES SUPERNOVAE

Le dernier de la chaîne d'éléments lourds produits dans le noyau d'une supergéante est le fer, qui s'y accumule rapidement. Mais celui-ci ne peut plus être recyclé dans les réactions nucléaires comme les autres éléments plus légers. Quand le noyau est à court de combustible, il s'effondre brusquement. A ce moment, la quantité d'énergie libérée est telle que l'étoile s'anéantit d'elle-même dans une gigantesque explosion appelée supernova, capable d'illuminer un bref instant une galaxie tout entière. L'explosion dissémine les éléments lourds dans l'espace, qui fourniront de la matière aux futures générations d'étoiles et de planètes.

Etoile à neutrons

Trou noir

Supernova

LES ÉTATS TERMINAUX

Ce qui survit après une supernova dépend de la masse du noyau qui s'est effondré. S'il est moins gros que trois fois la masse solaire, il rétrécira en une étoile à neutrons incroyablement dense. Si sa masse est plus importante, il se transformera en trou noir et disparaîtra pour toujours de l'Univers visible (p. 52).

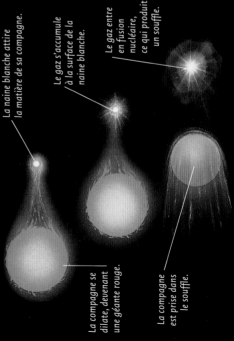

LA SUPERNOVA 1987A

Le 23 février 1987, les astronomes repérèrent une supernova qui brillait dans le Grand Nuage de Magellan, l'une des galaxies les plus proches de la nôtre. Elle s'embrasa 85 jours durant, jusqu'à devenir facilement visible à l'œil nu. L'étoile qui avait explosé était une géante bleue nommée Sanduleak, dont la masse était vingt fois celle du Soleil.

LES SUPERNOVAE DANS L'HISTOIRE

En 1572, l'astronome Tycho Brahé observa une supernova (dessin ci-dessus). C'est ce qui l'amena à comprendre que le ciel n'était pas immuable. Mais la plus célèbre des supernovae dans l'Histoire est probablement celle qu'observa un astronome chinois en 1054. Ce qu'il en reste forme la nébuleuse du Crabe, dans la constellation du Taureau.

La naine blanche attire la matière de sa compagne.

Le gaz s'accumule à la surface de la naine blanche.

Le gaz entre en fusion nucléaire, ce qui produit un souffle.

La compagne se dilate, devenant une géante rouge.

La compagne est prise dans le souffle.

LES NOVAE

Quand une naine blanche se forme dans un système binaire, elle peut attirer le gaz de l'autre étoile. A la longue, le gaz s'accumule autour de la naine blanche jusqu'à ce que la chaleur et la densité soient suffisantes pour déclencher une fusion nucléaire. Alors survient une énorme explosion ; une nova se forme qui a l'apparence d'une nouvelle étoile.

Pulsars et trous noirs : les mystères du cosmos

Quand une étoile massive meurt en supernova (p. 50), il n'en reste que le noyau, effondré sous l'effet de sa propre gravité. Cette force est telle que les atomes sont brisés. Les électrons (négatifs) sont comprimés dans le noyau de chaque atome, se combinant aux protons (positifs). Toute la matière est alors transformée en neutrons (électriquement neutres). Le noyau de l'étoile devient alors une étoile à neutrons, d'un diamètre de quelques kilomètres seulement. En rotation très rapide sur elle-même, elle émet des ondes radio sous la forme de pulsations ; c'est pourquoi on l'appelle aussi pulsar. Lorsque la masse du noyau de l'étoile est plus de trois fois supérieure à celle du Soleil, son destin est différent. La force d'effondrement est telle que même les neutrons sont écrasés. Le noyau devient si dense que la lumière ne peut plus échapper à sa gravité. Il est devenu un trou noir, le plus mystérieux des objets célestes.

Le pulsar du Crabe

En 1054, les astronomes chinois rapportèrent qu'ils avaient vu, dans la constellation du Taureau, une étoile si lumineuse qu'elle était visible même en plein jour. Nous savons à présent qu'il s'agissait de l'explosion d'une supernova qui créa la célèbre nébuleuse du Crabe. Le noyau qui s'est effondré est enfoui dans la nébuleuse ; on le détecte aujourd'hui sous la forme d'un pulsar.

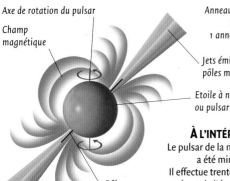

Axe de rotation du pulsar

Champ magnétique

Anneau intérieur. Diamètre : 1 année-lumière

Jets émis par les pôles magnétiques

Etoile à neutrons ou pulsar

Pôle magnétique

À l'intérieur du Crabe

Le pulsar de la nébuleuse du Crabe a été minutieusement étudié. Il effectue trente rotations par seconde et émet de l'énergie non seulement sous forme d'ondes radio mais aussi sous forme de lumière visible et de rayons X. Cette illustration est une photo aux rayonx X (en bleu) réalisée par le satellite d'observation Chandra, combinée à une photo dans la lumière visible.

En entrant en contact avec les gaz interstellaires, les jets du pulsar deviennent des nuages.

Jets issus des pôles du pulsar

La matière expulsée au niveau de l'équateur atteint une vitesse égale à la moitié de celle de la lumière.

Etoile à neutrons ou pulsar

Les étoiles à neutrons

Les étoiles à neutrons sont de petits corps qui tournent très vite sur eux-mêmes (la plus rapide que l'on connaisse effectue 642 rotations par seconde). Elles ont un champ magnétique très puissant, lui aussi en rotation très rapide. C'est ce qui génère les ondes radio, émises en faisceaux à partir des pôles magnétiques. L'axe de rotation n'étant pas le même que l'axe des pôles magnétiques, ces faisceaux balaient l'espace un peu à la façon des lumières d'un phare. Lorsqu'ils touchent la Terre, on les perçoit sous forme de signaux pulsés.

Une matière superdense

Une étoile à neutrons typique a un diamètre d'une vingtaine de kilomètres seulement. Toutefois, sa masse équivaut à celle de trois soleils, ce qui la rend incroyablement dense. L'équivalent d'une tête d'épingle de la matière d'une étoile à neutrons pèserait deux fois le poids du plus gros supertanker du monde. Il n'y a rien de semblable à cette matière sur Terre.

Le premier pulsar

Le 6 août 1967, Jocelyn Bell Burnell (née en 1943), étudiante à l'université de Cambridge, testait un nouvel équipement destiné à l'étude des sources radio fluctuantes lorsqu'elle capta des signaux sous la forme de pulsations toutes les 1,337 seconde. C'était le premier pulsar que l'on découvrait. Il est aujourd'hui dénommé PSR 1919+21.

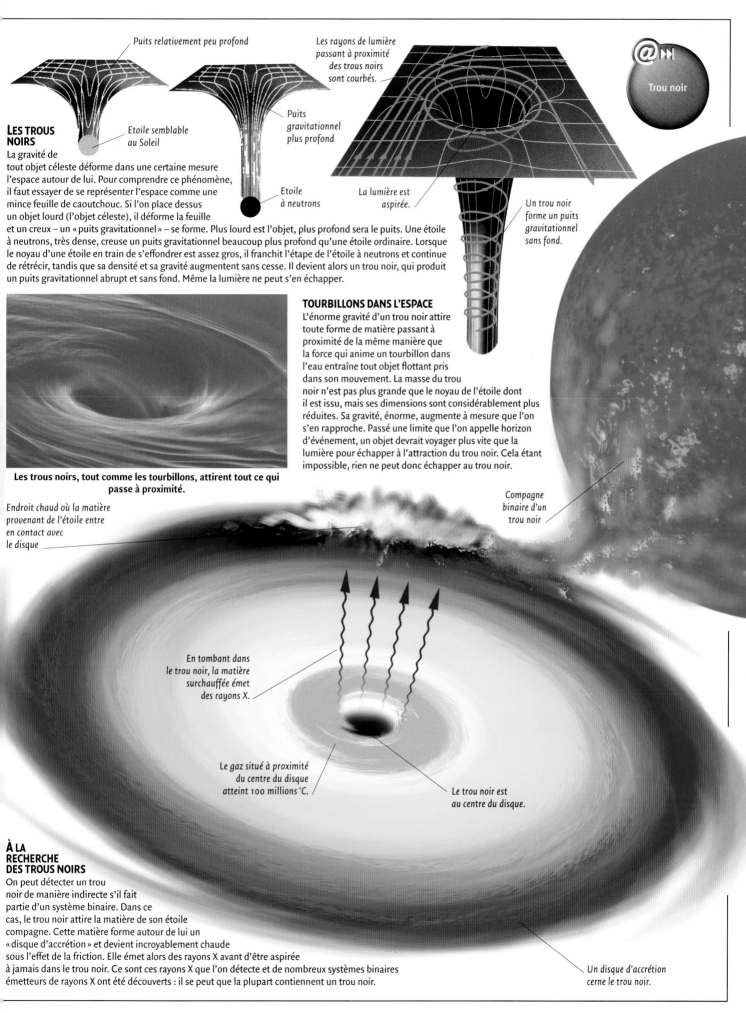

LES TROUS NOIRS

La gravité de tout objet céleste déforme dans une certaine mesure l'espace autour de lui. Pour comprendre ce phénomène, il faut essayer de se représenter l'espace comme une mince feuille de caoutchouc. Si l'on place dessus un objet lourd (l'objet céleste), il déforme la feuille et un creux – un «puits gravitationnel» – se forme. Plus lourd est l'objet, plus profond sera le puits. Une étoile à neutrons, très dense, creuse un puits gravitationnel beaucoup plus profond qu'une étoile ordinaire. Lorsque le noyau d'une étoile en train de s'effondrer est assez gros, il franchit l'étape de l'étoile à neutrons et continue de rétrécir, tandis que sa densité et sa gravité augmentent sans cesse. Il devient alors un trou noir, qui produit un puits gravitationnel abrupt et sans fond. Même la lumière ne peut s'en échapper.

Puits relativement peu profond

Etoile semblable au Soleil

Puits gravitationnel plus profond

Etoile à neutrons

Les rayons de lumière passant à proximité des trous noirs sont courbés.

La lumière est aspirée.

Un trou noir forme un puits gravitationnel sans fond.

Trou noir

TOURBILLONS DANS L'ESPACE

L'énorme gravité d'un trou noir attire toute forme de matière passant à proximité de la même manière que la force qui anime un tourbillon dans l'eau entraîne tout objet flottant pris dans son mouvement. La masse du trou noir n'est pas plus grande que le noyau de l'étoile dont il est issu, mais ses dimensions sont considérablement plus réduites. Sa gravité, énorme, augmente à mesure que l'on s'en rapproche. Passé une limite que l'on appelle horizon d'événement, un objet devrait voyager plus vite que la lumière pour échapper à l'attraction du trou noir. Cela étant impossible, rien ne peut donc échapper au trou noir.

Les trous noirs, tout comme les tourbillons, attirent tout ce qui passe à proximité.

Endroit chaud où la matière provenant de l'étoile entre en contact avec le disque

Compagne binaire d'un trou noir

En tombant dans le trou noir, la matière surchauffée émet des rayons X.

Le gaz situé à proximité du centre du disque atteint 100 millions °C.

Le trou noir est au centre du disque.

À LA RECHERCHE DES TROUS NOIRS

On peut détecter un trou noir de manière indirecte s'il fait partie d'un système binaire. Dans ce cas, le trou noir attire la matière de son étoile compagne. Cette matière forme autour de lui un «disque d'accrétion» et devient incroyablement chaude sous l'effet de la friction. Elle émet alors des rayons X avant d'être aspirée à jamais dans le trou noir. Ce sont ces rayons X que l'on détecte et de nombreux systèmes binaires émetteurs de rayons X ont été découverts : il se peut que la plupart contiennent un trou noir.

Un disque d'accrétion cerne le trou noir.

DANS LES BRAS DE LA VOIE LACTÉE

Quand la nuit est sombre et le ciel dégagé, on peut voir une grande arche d'aspect brumeux, faiblement lumineuse, qui enjambe la voûte céleste d'un horizon à l'autre. Elle traverse au passage bon nombre de constellations : le Cygne, Persée, Cassiopée et d'autres dans l'hémisphère Nord ; le Centaure, la Croix du Sud, le Sagittaire, etc., dans l'hémisphère Sud. Un télescope ou une simple paire de jumelles montrent que cette brume est en fait constituée d'innombrables étoiles qui semblent serrées les unes contre les autres. Il s'agit de notre galaxie, la Voie lactée, telle que nous pouvons la voir depuis le point de vue que nous offre la Terre : une vue en coupe de l'intérieur.

La Voie lactée est une galaxie spirale dont les bras s'enroulent autour du renflement central, ou noyau. Le Soleil et toutes les autres étoiles identifiables dans le ciel en font partie.

LA VOIE LACTÉE ET LES MYTHOLOGIES

Dans la mythologie aztèque, au Mexique, la Voie lactée était assimilée à Mixcoatl, le dieu serpent-nuage. Dans l'ancienne Egypte et en Inde, on voyait en elle le reflet céleste de rivières telles que le Nil ou le Gange. Les Grecs pensaient qu'il s'agissait d'un flot de lait issu des seins de la déesse Héra, épouse de Zeus, le maître des dieux.

Nuages moléculaires où se forment les étoiles.

ANATOMIE DE LA GALAXIE

Notre galaxie est un vaste système d'environ 200 milliards d'étoiles. Elle atteint 100 000 années-lumière de diamètre, mais son épaisseur n'est que de 2 000 années-lumière mis à part au niveau du noyau central. Les bras, qui s'enroulent en spirale autour du noyau, forment le disque de la Voie lactée. Celui-ci comporte deux bras principaux, celui du Sagittaire et celui de Persée, qui doivent leur nom aux constellations dans lesquelles ils apparaissent les plus brillants. Entre les deux se trouve le bras d'Orion, ou bras local, dans lequel se trouve notre Soleil et son système, à 26 000 années-lumière du centre de la Galaxie.

Bras d'Orion

Nuages d'étoiles de la Voie lactée, dans les constellations du Scorpion et du Sagittaire

LA COLONNE VERTÉBRALE DU CIEL

On voit mieux la Voie lactée quand le ciel est dégagé et la nuit sans lune, loin des lumières de la ville qui constituent une pollution pour ceux qui observent les étoiles. Les zones les plus claires se voient mieux entre juin et septembre. Les taches sombres, ou trouées, dans la Voie lactée ne sont pas des régions sans étoiles mais des zones dans lesquelles des nuages denses arrêtent la lumière en provenance des étoiles situées derrière eux.

Emplacement de notre Système solaire

Au centre se trouve une énorme
quantité d'étoiles rouges
et anciennes qui forment
un renflement : le noyau.

Les bras spiralés sont riches
en jeunes étoiles bleues
ou blanches.

Bras de Persée

Bras externe

UN GRAND MANÈGE COSMIQUE

Les galaxies sont en rotation autour de leur axe dans l'espace et la Voie lactée
n'échappe pas à la règle. Sans ce mouvement, elles s'effondreraient sur
elles-mêmes. Cette rotation est révélée par des décalages dans
le spectre lumineux des étoiles qui parsèment les galaxies.
Celles qui sont situées d'un côté de la galaxie montrent
un décalage vers le bleu (blueshift) dans les lignes
spectrales, ce qui indique qu'elles se rapprochent
de nous. Du côté opposé, les étoiles montrent
un décalage vers le rouge (redshift, p. 14),
ce qui montre qu'elles s'éloignent.

Phénomène
de blueshift
du côté qui
se rapproche
de nous

**Redshift
et blueshift dans
la galaxie d'Andromède**

Phénomène
de redshift du côté
qui s'éloigne

Sagittaire A*

Anneau moléculaire

Lobe radio

AU CŒUR DE LA VOIE LACTÉE

Des études dans le spectre des ondes radio et infrarouges ont été
menées sur le noyau rempli de gaz et de poussières de la Voie lactée.
Tout à fait au centre se trouve une intense radiosource, dénommée
Sagittaire A*. On pense qu'il s'agit d'un trou noir massif. Plus loin se
trouvent des anneaux de gaz magnétisés formant le lobe radio, et des
nuages moléculaires géants formant l'anneau moléculaire. L'anneau
moléculaire est situé à environ 500 années-lumière du centre.

Les bras spiralés
effectuent une rotation
complète en 250 millions
d'années.

Bras du
Sagittaire

CENTRE GALACTIQUE

Cette photo aux rayons X réalisée par le satellite Chandra montre
les nuages de gaz et l'amas d'étoiles qui se trouvent au cœur même
de la Voie lactée. L'amas contient près de trois millions d'étoiles.
La plupart sont énormes et très chaudes. Cet amas entoure le trou noir
Sagittaire A*, qui semble avoir plus de deux millions de fois la masse
du Soleil. Ce trou noir semble être en sommeil pour le moment, mais
il pourrait devenir actif s'il existe suffisamment de gaz pour l'alimenter.

Présence d'étoiles
massives près du
trou noir central

Gaz luminescents,
chauffés à 10 millions
de degrés C

55

AU-DELÀ DE LA GALAXIE

Dans le ciel austral, dans les constellations du Toucan et de la Dorade, on peut voir deux taches brumeuses : les Nuages de Magellan. Il ne s'agit pas comme on le pensait auparavant, de nébuleuses ou de nuages situés dans notre galaxie, mais de deux galaxies voisines de la nôtre. Le Grand Nuage de Magellan se trouve à seulement 160 000 années-lumière, autant dire à deux pas à l'échelle de l'Univers. Comparé à notre galaxie, il est petit et de forme irrégulière, tout comme le Petit Nuage de Magellan. Les Nuages de Magellan ainsi qu'un certain nombre d'autres galaxies naines et de forme elliptique, sont soumis à l'influence gravitationnelle de la Voie lactée. Cette dernière, avec ses galaxies satellites, est à son tour liée gravitationnellement à une famille de galaxies formant l'Amas local, d'un diamètre de quelque 3 millions d'années-lumière.

EN L'HONNEUR DU NAVIGATEUR

Les Nuages de Magellan doivent leur nom au navigateur portugais Ferdinand Magellan (1480–1521). En 1519, celui-ci commandait la première expédition autour du monde. Il fut l'un des premiers Européens à remarquer ces nuages, et les a probablement utilisés pour la navigation.

Petit Nuage de Magellan

Grand Nuage de Magellan

L'AMAS LOCAL

La Voie lactée et ses galaxies satellites font partie d'un ensemble plus vaste de galaxies que l'on appelle l'Amas local. Cet amas qui regroupe en tout une trentaine de galaxies faiblement liées par la gravité, comprend notamment deux galaxies spirales dans les constellations d'Andromède et du Triangle. Toutes les autres sont irrégulières ou elliptiques, et bien plus petites. L'Amas local est, à son tour, membre d'un superamas de galaxies encore plus vaste.

LES GALAXIES SATELLITES

Le Grand Nuage de Magellan mesure 30 000 années-lumière de diamètre, soit moins d'un tiers de la taille de la Voie lactée. Il contient à peu près le même mélange d'étoiles et de gaz que notre propre galaxie, mais ne possède ni noyau central ni branches spiralées. En revanche, il présente une large bande d'étoiles relativement âgées ainsi que de vastes régions où se forment les étoiles, telle la nébuleuse de la Tarentule. Cette nébuleuse est l'une des plus grandes et des plus brillantes que l'on connaisse. Elle est éclairée par un amas de jeunes étoiles, chaudes et massives. Le Petit Nuage de Magellan représente seulement un quart du Grand Nuage de Magellan et se trouve un peu plus éloigné, à 190 000 années-lumière de la Terre.

NOTRE GALAXIE EST UNE CANNIBALE

A 80 000 années-lumière de la Terre, la galaxie du Sagittaire, une naine elliptique encore plus proche que le Grand Nuage de Magellan, est cachée derrière les denses nuages de gaz du centre de notre galaxie. Elle ne fut découverte qu'en 1994. A l'origine de forme sphérique, elle est écartelée de tous côtés par la gravité de la Voie lactée. A la longue, elle sera absorbée par notre galaxie, tout comme les Nuages de Magellan.

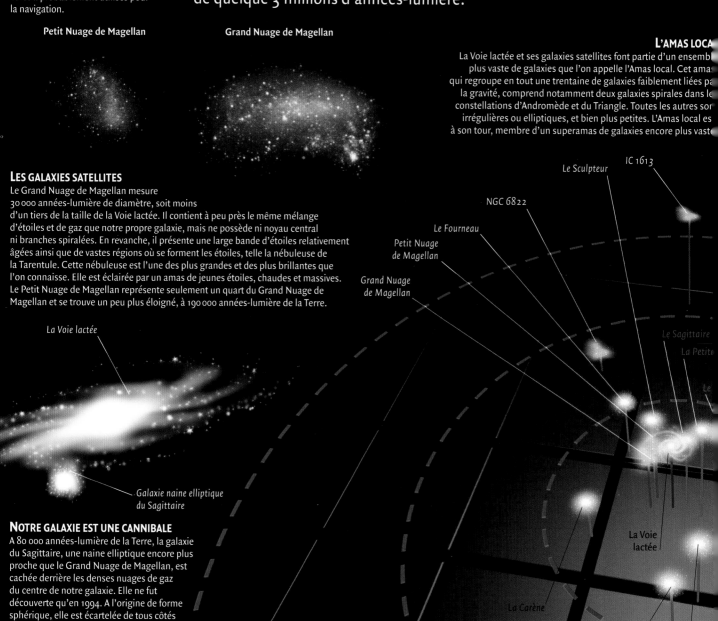

La Voie lactée

Galaxie naine elliptique du Sagittaire

IC 1613

Le Sculpteur

NGC 6822

Le Fourneau

Petit Nuage de Magellan

Grand Nuage de Magellan

Le Sagittaire

La Petite

La Voie lactée

La Carène

Le Lion I

Le Lion II

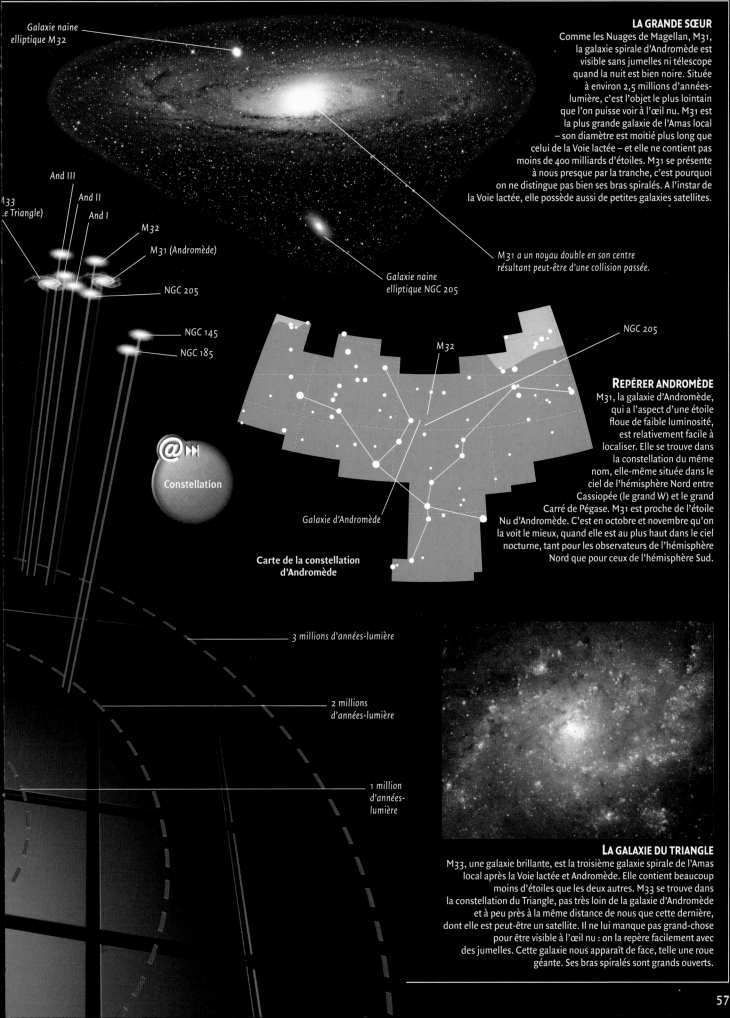

Galaxie naine
elliptique M32

LA GRANDE SŒUR

Comme les Nuages de Magellan, M31,
la galaxie spirale d'Andromède est
visible sans jumelles ni télescope
quand la nuit est bien noire. Située
à environ 2,5 millions d'années-
lumière, c'est l'objet le plus lointain
que l'on puisse voir à l'œil nu. M31 est
la plus grande galaxie de l'Amas local
– son diamètre est moitié plus long que
celui de la Voie lactée – et elle ne contient pas
moins de 400 milliards d'étoiles. M31 se présente
à nous presque par la tranche, c'est pourquoi
on ne distingue pas bien ses bras spiralés. A l'instar de
la Voie lactée, elle possède aussi de petites galaxies satellites.

And III

M33
(e Triangle)

And II

And I

M32

M31 (Andromède)

NGC 205

NGC 145

NGC 185

*M31 a un noyau double en son centre
résultant peut-être d'une collision passée.*

Galaxie naine
elliptique NGC 205

NGC 205

Constellation

M32

REPÉRER ANDROMÈDE

M31, la galaxie d'Andromède,
qui a l'aspect d'une étoile
floue de faible luminosité,
est relativement facile à
localiser. Elle se trouve dans
la constellation du même
nom, elle-même située dans le
ciel de l'hémisphère Nord entre
Cassiopée (le grand W) et le grand
Carré de Pégase. M31 est proche de l'étoile
Nu d'Andromède. C'est en octobre et novembre qu'on
la voit le mieux, quand elle est au plus haut dans le ciel
nocturne, tant pour les observateurs de l'hémisphère
Nord que pour ceux de l'hémisphère Sud.

Galaxie d'Andromède

**Carte de la constellation
d'Andromède**

3 millions d'années-lumière

2 millions
d'années-lumière

1 million
d'années-
lumière

LA GALAXIE DU TRIANGLE

M33, une galaxie brillante, est la troisième galaxie spirale de l'Amas
local après la Voie lactée et Andromède. Elle contient beaucoup
moins d'étoiles que les deux autres. M33 se trouve dans
la constellation du Triangle, pas très loin de la galaxie d'Andromède
et à peu près à la même distance de nous que cette dernière,
dont elle est peut-être un satellite. Il ne lui manque pas grand-chose
pour être visible à l'œil nu : on la repère facilement avec
des jumelles. Cette galaxie nous apparaît de face, telle une roue
géante. Ses bras spiralés sont grands ouverts.

57

UN UNIVERS DE GALAXIES

La Voie lactée et les autres galaxies qui forment l'Amas local n'occupent qu'une petite région de l'espace s'étendant sur quelques millions d'années-lumière. Disséminées sur des dizaines de milliards d'années-lumière, il existe des dizaines de milliards d'autres galaxies. Nombre d'entre elles ont une forme spiralée, comme la Voie lactée ou la galaxie d'Andromède. Beaucoup sont elliptiques tandis que d'autres n'ont pas de forme particulière. Certaines galaxies sont naines, contenant sans doute moins d'un million d'étoiles, tandis que les géantes en renferment des centaines de milliards. Les astronomes ne savent pas exactement quand elles ont commencé à se former, mais c'était probablement moins de 2 milliards d'années après le big bang. Il arrive que des galaxies entrent en collision, créant de spectaculaires feux d'artifice célestes.

COLLISION GALACTIQUE

Toute proportion gardée, il y a relativement peu d'espace entre les galaxies et, de temps en temps, il arrive que deux d'entre elles entrent en collision. En général, ce ne sont pas les étoiles elles-mêmes qui se percutent mais les grands nuages de gaz situés à l'intérieur des galaxies. Leur entrée en contact provoque de violents accès de formation d'étoiles en grand nombre, un phénomène connu sous le nom d'explosion d'étoiles.

Durant la collision, des étoiles sont projetées à l'extérieur des deux galaxies.

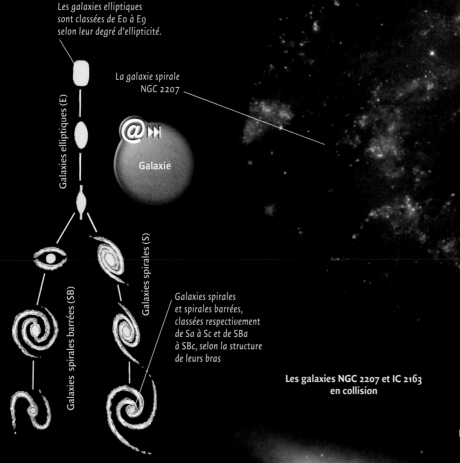

Les galaxies elliptiques sont classées de E0 à E9 selon leur degré d'ellipticité.

La galaxie spirale NGC 2207

Galaxie

Galaxies elliptiques (E)

Galaxies spirales (S)

Galaxies spirales barrées (SB)

Galaxies spirales et spirales barrées, classées respectivement de Sa à Sc et de SBa à SBc, selon la structure de leurs bras

Les galaxies NGC 2207 et IC 2163 en collision

LE DIAPASON DE HUBBLE

Edwin Hubble, pionnier de l'étude des galaxies, imagina la méthode que les astronomes utilisent aujourd'hui pour classer les galaxies. Il les divisa en galaxies elliptiques (E), spirales (S) et spirales barrées (SB) en fonction de leur forme, et les répartit dans un diagramme qu'il nomma diapason.

Vaste pépinière stellaire, région où naissent les étoiles

LES GALAXIES IRRÉGULIÈRES

Les galaxies sans forme particulière sont classées parmi les galaxies irrégulières. Elles sont riches en gaz et en poussières et contiennent beaucoup de jeunes étoiles et de nombreuses régions où celles-ci se forment. Les Nuages de Magellan sont des galaxies irrégulières, tout comme M82 dans la Grande Ourse (ci-contre). M82 est parcourue par des bandes noires de poussières, très visibles. Elle subit actuellement une phase de formation stellaire massive.

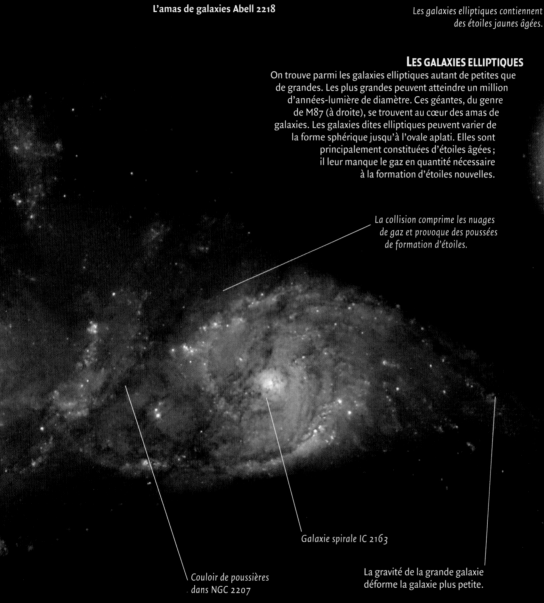

L'amas de galaxies Abell 2218

AMAS ET SUPERAMAS

Toutes les galaxies interagissent plus ou moins entre elles. La gravité les lie par petits amas (l'Amas local en est un exemple) ou bien par amas beaucoup plus importants. L'amas le plus proche du nôtre est celui de la Vierge. D'une envergure d'environ 10 millions d'années-lumière, il contient plus de 2 000 galaxies. A leur tour, l'Amas local et l'amas de la Vierge font partie d'un superamas beaucoup plus grand. L'Univers est ainsi constitué de chaînes de superamas.

Les galaxies elliptiques contiennent des étoiles jaunes âgées.

Les plans de gravitation des étoiles suivent des angles différents.

LES GALAXIES ELLIPTIQUES

On trouve parmi les galaxies elliptiques autant de petites que de grandes. Les plus grandes peuvent atteindre un million d'années-lumière de diamètre. Ces géantes, du genre de M87 (à droite), se trouvent au cœur des amas de galaxies. Les galaxies dites elliptiques peuvent varier de la forme sphérique jusqu'à l'ovale aplati. Elles sont principalement constituées d'étoiles âgées ; il leur manque le gaz en quantité nécessaire à la formation d'étoiles nouvelles.

La collision comprime les nuages de gaz et provoque des poussées de formation d'étoiles.

Jet émergeant du noyau de la galaxie

Galaxie spirale IC 2163

Couloir de poussières dans NGC 2207

La gravité de la grande galaxie déforme la galaxie plus petite.

LES GALAXIES LENTICULAIRES

Certaines galaxies semblent être à mi-chemin entre la galaxie spirale et la galaxie elliptique. On les appelle des galaxies lenticulaires (en forme de lentille). Les galaxies lenticulaires ressemblent à des galaxies spirales, mais dépourvues de bras. Comme ces dernières, elles possèdent un noyau central composé d'étoiles anciennes, et des étoiles jeunes dans le disque aplati qui l'entoure. Mais elles ne présentent aucune vaste région de formation d'étoiles.

La galaxie lenticulaire NGC 2787

DISTANCES ASTRONOMIQUES

Les astronomes mesurent les distances qui nous séparent de certaines galaxies en utilisant les étoiles variables dites Céphéïdes. La période de variation lumineuse de ces dernières est directement liée à leur luminosité absolue (luminosité de l'étoile si elle est située à 1 parsec, soit 3,26 années-lumière). A partir de leur luminosité absolue et leur luminosité apparente, on peut facilement calculer leur distance. Edwin Hubble (à gauche) fut l'un des premiers à utiliser cette méthode en 1923 pour estimer la distance de la galaxie d'Andromède.

QUASARS ET AUTRES GALAXIES ACTIVES

La plupart des galaxies émettent l'énergie des centaines de milliards d'étoiles qui les composent, mais certaines en produisent bien plus encore. On les appelle galaxies actives ; elles comprennent les radiogalaxies, les quasars, les blazars et les galaxies de Seyfert. Les quasars sont peut-être les plus intrigantes des galaxies actives. Leur nom est la forme anglaise abrégée de « quasi stellaire ». Vues de la Terre, elles ressemblent en effet à des étoiles faibles, émettrices d'ondes radio. Mais les quasars ont un *redshift* (p. 14) énorme et doivent donc se situer à des milliards d'années-lumière, très loin dans l'Univers. Les télescopes très puissants révèlent qu'il s'agit de galaxies au noyau très lumineux. Pour être visibles à de telles distances, elles doivent de toute façon être des centaines de fois plus brillantes que des galaxies normales. Mais de rapides variations dans leur luminosité indiquent que la majeure partie de cette lumière doit naître dans une région à peine plus grande que notre Système solaire. Les astronomes pensent que les quasars et les autres galaxies actives tirent leur énergie d'énormes trous noirs situés en leur centre.

À LA RECHERCHE DES QUASARS
L'astronome américain Allan Sandage (né en 1926), qui fut assistant d'Edwin Hubble, contribua à la découverte des quasars. En 1960, il localisa 3C48, une radiosource qu'il assimila à une étoile peu lumineuse. Mais il ne parvenait pas à expliquer son spectre lumineux. C'était trois ans avant que 3C48 soit identifié comme un quasar à *redshift* élevé.

Miroir composé en métal poli servant à réfléchir et focaliser les rayons X

Caméra

Panneau solaire

SATELLITES OBLIGATOIRES
La violente activité au cœur des galaxies actives produit de grandes quantités de rayonnements de haute énergie (rayons X et rayons gamma). Des satellites tels que Chandra (ci-dessus), qui travaille dans les rayons X, et Compton, qui utilise les rayons gamma, servent à étudier ces rayonnements que l'on ne peut observer que depuis l'espace puisque l'atmosphère terrestre les arrête.

LES RADIOGALAXIES
NGC 5128, dans la constellation du Centaure, est une galaxie elliptique coupée en deux par une bande de poussières sombre. Elle abrite une puissante radiosource appelée Centaure A. C'est la galaxie active la plus proche de nous, à seulement 15 millions d'années-lumière. Cette image composite de sa région centrale est un assemblage de vues réalisées dans la lumière visible, les rayons X (en bleu) et les ondes radio (en rouge et vert). Un halo de gaz émettant des rayons X entoure la galaxie et un jet jaillit de son centre, qui enfle et forme d'énormes lobes radioémetteurs.

Bras spiralés peu distincts, 36 000 années-lumière de diamètre

Des étoiles en train de naître forment, autour du noyau, un anneau très brillant.

Noyau très lumineux alimenté par un trou noir

NGC 7742, une galaxie de Seyfert

LOINTAINS QUASARS
Le télescope Hubble a repéré, dans la constellation du Sculpteur, ce quasar qui émet des radiations sous la forme de lumière visible. La puissante émission d'énergie du quasar est alimentée par une collision entre deux galaxies : on retrouve les vestiges d'un anneau spiralé juste sous le quasar lui-même. Celui-ci se situe à 3 milliards d'années-lumière. Une étoile beaucoup plus proche brille juste au-dessus de lui.

LES GALAXIES DE SEYFERT
Certaines galaxies spirales ont un noyau particulièrement brillant et entrent dans la catégorie des galaxies de Seyfert, d'après le nom de l'astronome américain Carl Seyfert, qui fut le premier à les signaler en 1943. On pense aujourd'hui qu'elles sont des objets proches des quasars, mais moins puissants. Environ une grande galaxie spirale sur dix semble être une galaxie de Seyfert. Il se peut qu'un jour notre Voie lactée en devienne une.

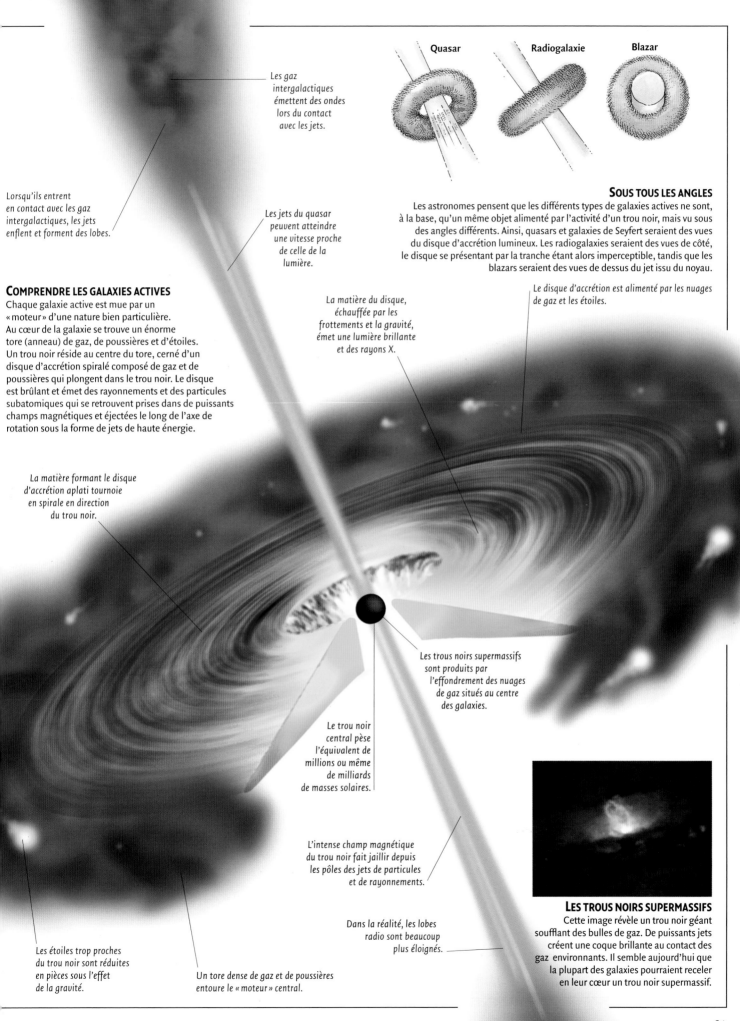

Les gaz intergalactiques émettent des ondes lors du contact avec les jets.

Quasar **Radiogalaxie** **Blazar**

Lorsqu'ils entrent en contact avec les gaz intergalactiques, les jets enflent et forment des lobes.

Les jets du quasar peuvent atteindre une vitesse proche de celle de la lumière.

SOUS TOUS LES ANGLES

Les astronomes pensent que les différents types de galaxies actives ne sont, à la base, qu'un même objet alimenté par l'activité d'un trou noir, mais vu sous des angles différents. Ainsi, quasars et galaxies de Seyfert seraient des vues du disque d'accrétion lumineux. Les radiogalaxies seraient des vues de côté, le disque se présentant par la tranche étant alors imperceptible, tandis que les blazars seraient des vues de dessus du jet issu du noyau.

COMPRENDRE LES GALAXIES ACTIVES

Chaque galaxie active est mue par un « moteur » d'une nature bien particulière. Au cœur de la galaxie se trouve un énorme tore (anneau) de gaz, de poussières et d'étoiles. Un trou noir réside au centre du tore, cerné d'un disque d'accrétion spiralé composé de gaz et de poussières qui plongent dans le trou noir. Le disque est brûlant et émet des rayonnements et des particules subatomiques qui se retrouvent prises dans de puissants champs magnétiques et éjectées le long de l'axe de rotation sous la forme de jets de haute énergie.

La matière du disque, échauffée par les frottements et la gravité, émet une lumière brillante et des rayons X.

Le disque d'accrétion est alimenté par les nuages de gaz et les étoiles.

La matière formant le disque d'accrétion aplati tournoie en spirale en direction du trou noir.

Les trous noirs supermassifs sont produits par l'effondrement des nuages de gaz situés au centre des galaxies.

Le trou noir central pèse l'équivalent de millions ou même de milliards de masses solaires.

L'intense champ magnétique du trou noir fait jaillir depuis les pôles des jets de particules et de rayonnements.

Dans la réalité, les lobes radio sont beaucoup plus éloignés.

LES TROUS NOIRS SUPERMASSIFS

Cette image révèle un trou noir géant soufflant des bulles de gaz. De puissants jets créent une coque brillante au contact des gaz environnants. Il semble aujourd'hui que la plupart des galaxies pourraient receler en leur cœur un trou noir supermassif.

Les étoiles trop proches du trou noir sont réduites en pièces sous l'effet de la gravité.

Un tore dense de gaz et de poussières entoure le « moteur » central.

UN UNIVERS DE VIE

Notre planète regorge d'êtres vivants mais on ne connaît aucun autre endroit dans l'Univers où la vie existe. Pourtant, les chances pour qu'il y ait « quelqu'un quelque part » ne sont pas minces. Dans notre seule galaxie, des milliards d'étoiles semblables au Soleil pourraient avoir pour satellites des planètes capables d'accueillir la vie. Une forme de vie intelligente, sachant communiquer à travers l'espace, pourrait même y apparaître. Depuis les années 1960, différents projets destinés à rechercher une intelligence extraterrestre ont été lancés. On utilise pour cela les radiotélescopes. Comme nous, les extraterrestres sont susceptibles d'utiliser les ondes radio pour communiquer.

Crabe sur un fumeur noir

LA VIE AUX EXTRÊMES

Les chercheurs pensaient que la vie ne pouvait apparaître que dans des conditions proches de celles existant à la surface des continents terrestres. Mais de récentes découvertes de créatures vivant dans un environnement extrême ont modifié leur opinion. Des animaux se développent en effet dans les grands fonds marins sous des pressions énormes, dans les environs des fumeurs noirs, des cheminées volcaniques qui crachent de l'eau à 350 °C chargée de soufre.

Éventuel fossile de bactérie sur une météorite martienne

DE LA VIE DANS LE SYSTÈME SOLAIRE ?

La planète Mars a longtemps été considérée comme un endroit où une forme de vie était susceptible d'exister ou d'avoir existé. La planète est actuellement inhospitalière mais a dû connaître jadis un climat plus propice. Si la vie a pu s'y installer à une époque, il est possible qu'il en reste des fossiles dans le sol martien. En 1996, certains scientifiques de la NASA ont cru avoir trouvé d'anciennes traces de vie dans une météorite venue de Mars. Mais beaucoup d'autres sont encore sceptiques.

ENSEMENCEURS DU COSMOS

Dans les nuages gazeux interstellaires, on trouve de nombreuses molécules organiques basées sur le carbone. On y trouve même des acides aminés, constituants essentiels de la vie, ce qui pourrait suggérer que la vie est chose commune dans l'Univers. Il est possible qu'elle soit disséminée à travers les systèmes solaires par les corps célestes les plus primitifs : les comètes.

Chiffres 1 à 10 en code binaire

Eléments chimiques nécessaires à la vie

Molécules fondamentales pour la vie

Structure spiralée de l'ADN

Forme humaine et population de la Terre

Position de la Terre dans le Système solaire

Radiotélescope

E. T. TÉLÉPHONE MAISON

Le seul message radio que les humains ont à ce jour délibérément envoyé aux éventuels extraterrestres fut transmis sous la forme numérique d'une série de 1 679 impulsions binaires. Ce nombre est le résultat de la multiplication de deux nombres premiers, 23 et 73. Le message devient clair s'il est disposé sur 73 lignes et 23 colonnes. Un pictogramme formant un message apparaît alors, les carrés pleins étant représentés par les 1 et les carrés vides par les 0.

L'APPEL D'ARECIBO

Le message ci-contre fut transmis en 1974 depuis le grand radiotélescope d'Arecibo. Afin d'augmenter les chances d'atteindre une forme de vie intelligente, il fut diffusé en direction d'un amas globulaire de 300 000 étoiles. Mais il faudra 25 000 ans avant que le signal n'atteigne son objectif.

MESSAGES INTERSTELLAIRES

Les sondes Pioneer 10 et 11, ainsi que Voyager 1 et 2 ont maintenant quitté le Système solaire, avec à leur bord des messages destinés à d'éventuels extraterrestres. Les Pioneer transportent des plaques portant des dessins gravés, les Voyager des disques en or sur lesquels sont enregistrés des sons et des images représentatifs de la Terre.

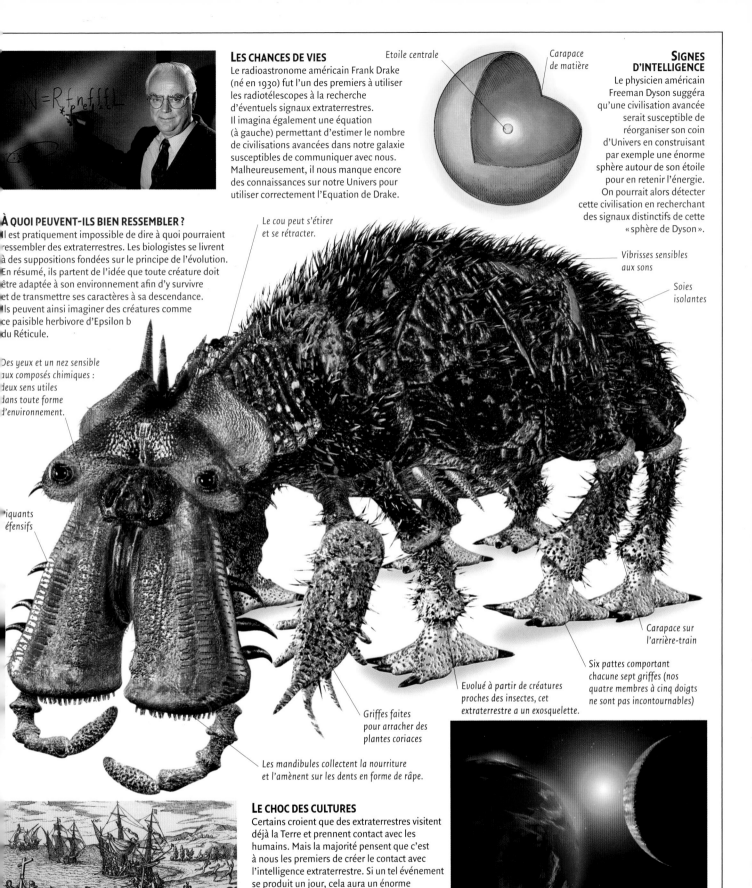

LES CHANCES DE VIES

Le radioastronome américain Frank Drake (né en 1930) fut l'un des premiers à utiliser les radiotélescopes à la recherche d'éventuels signaux extraterrestres. Il imagina également une équation (à gauche) permettant d'estimer le nombre de civilisations avancées dans notre galaxie susceptibles de communiquer avec nous. Malheureusement, il nous manque encore des connaissances sur notre Univers pour utiliser correctement l'Equation de Drake.

Etoile centrale

Carapace de matière

SIGNES D'INTELLIGENCE

Le physicien américain Freeman Dyson suggéra qu'une civilisation avancée serait susceptible de réorganiser son coin d'Univers en construisant par exemple une énorme sphère autour de son étoile pour en retenir l'énergie. On pourrait alors détecter cette civilisation en recherchant des signaux distinctifs de cette « sphère de Dyson ».

À QUOI PEUVENT-ILS BIEN RESSEMBLER ?

Il est pratiquement impossible de dire à quoi pourraient ressembler des extraterrestres. Les biologistes se livrent à des suppositions fondées sur le principe de l'évolution. En résumé, ils partent de l'idée que toute créature doit être adaptée à son environnement afin d'y survivre et de transmettre ses caractères à sa descendance. Ils peuvent ainsi imaginer des créatures comme ce paisible herbivore d'Epsilon b du Réticule.

Le cou peut s'étirer et se rétracter.

Vibrisses sensibles aux sons

Soies isolantes

Des yeux et un nez sensible aux composés chimiques : deux sens utiles dans toute forme d'environnement.

Piquants défensifs

Carapace sur l'arrière-train

Six pattes comportant chacune sept griffes (nos quatre membres à cinq doigts ne sont pas incontournables)

Evolué à partir de créatures proches des insectes, cet extraterrestre a un exosquelette.

Griffes faites pour arracher des plantes coriaces

Les mandibules collectent la nourriture et l'amènent sur les dents en forme de râpe.

LE CHOC DES CULTURES

Certains croient que des extraterrestres visitent déjà la Terre et prennent contact avec les humains. Mais la majorité pensent que c'est à nous les premiers de créer le contact avec l'intelligence extraterrestre. Si un tel événement se produit un jour, cela aura un énorme impact sur l'humanité. Le choc entre les formes physiques et les cultures sera infiniment plus grand que celui causé par la découverte des Indiens d'Amérique par Christophe Colomb en 1492 (à gauche), et potentiellement tout aussi lourd de conséquences pour l'une ou l'autre espèce qu'il le fut pour les Amérindiens.

SUR EPSILON B DU RÉTICULE

L'extraterrestre imaginé ci-dessus vient d'un satellite de la planète géante Epsilon b du Réticule, située à environ 60 années-lumière de la Terre. Cette planète, découverte en 2000, gravite autour de son étoile à une distance supérieure de 20 % à l'orbite de la Terre autour du Soleil. Epsilon du Réticule semble être une étoile du type de notre Soleil qui commencerait juste son évolution vers la phase de géante rouge.

UNE FENÊTRE SUR L'UNIVERS

Regarder le ciel depuis la Terre, c'est regarder dans l'Univers.
Le jour, la lumière du Soleil, notre étoile, noie celle provenant
des autres étoiles, plus distantes que lui. La nuit, ces dernières
apparaissent, petits points lumineux sur le fond noir de l'espace.
Les astronomes ont divisé l'ensemble de la voûte céleste en
88 constellations, groupes d'étoiles dessinant des motifs précis et
qui permettent de s'orienter dans le ciel nocturne. Ces deux cartes
servent à les identifier. La première montre la demi-voûte céleste
de l'hémisphère Nord, la seconde celle de l'hémisphère Sud.
Au cours de l'année, à mesure que la Terre tourne autour du Soleil,
certaines constellations disparaissent tandis
que d'autres apparaissent.

RECONNAÎTRE LES CONSTELLATIONS

Le Grand Chariot dans le ciel

Parce qu'ils dessinent des motifs remarquables, certains groupes d'étoiles sont faciles à repérer dans le ciel nocturne et permettent de localiser les constellations plus vastes auxquelles ils appartiennent. C'est le cas du Grand Chariot : sept étoiles marquant le dos et la queue de la Grande Ourse.

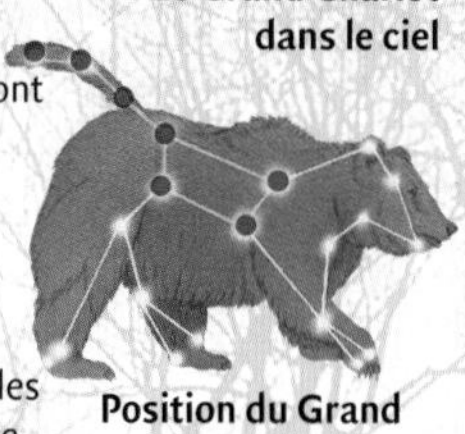

Position du Grand Chariot dans la Grande Ourse

LES ÉTOILES DE L'HÉMISPHÈRE NORD

Un seul point dans chaque demi-voûte céleste ne présente pas de mouvement apparent : celui qui est situé au-dessus du pôle terrestre. On l'appelle le pôle céleste. Dans l'hémisphère Nord, l'étoile Polaris (aussi appelée étoile Polaire) se situe presque exactement sur le pôle Nord céleste. C'est l'étoile la plus lumineuse de la constellation de la Petite Ourse.

COMMENT UTILISER LES CARTES

Orienter le livre de telle façon que le nom du mois en cours se trouve en bas. Les observateurs situés dans l'hémisphère Nord, en se tournant vers le sud, verront au-dessus de leur tête les étoiles situées au centre et dans la partie inférieure de la carte ci-contre. Ceux de l'hémisphère Sud procéderont de la même manière avec la carte de droite en se tournant vers le Nord.

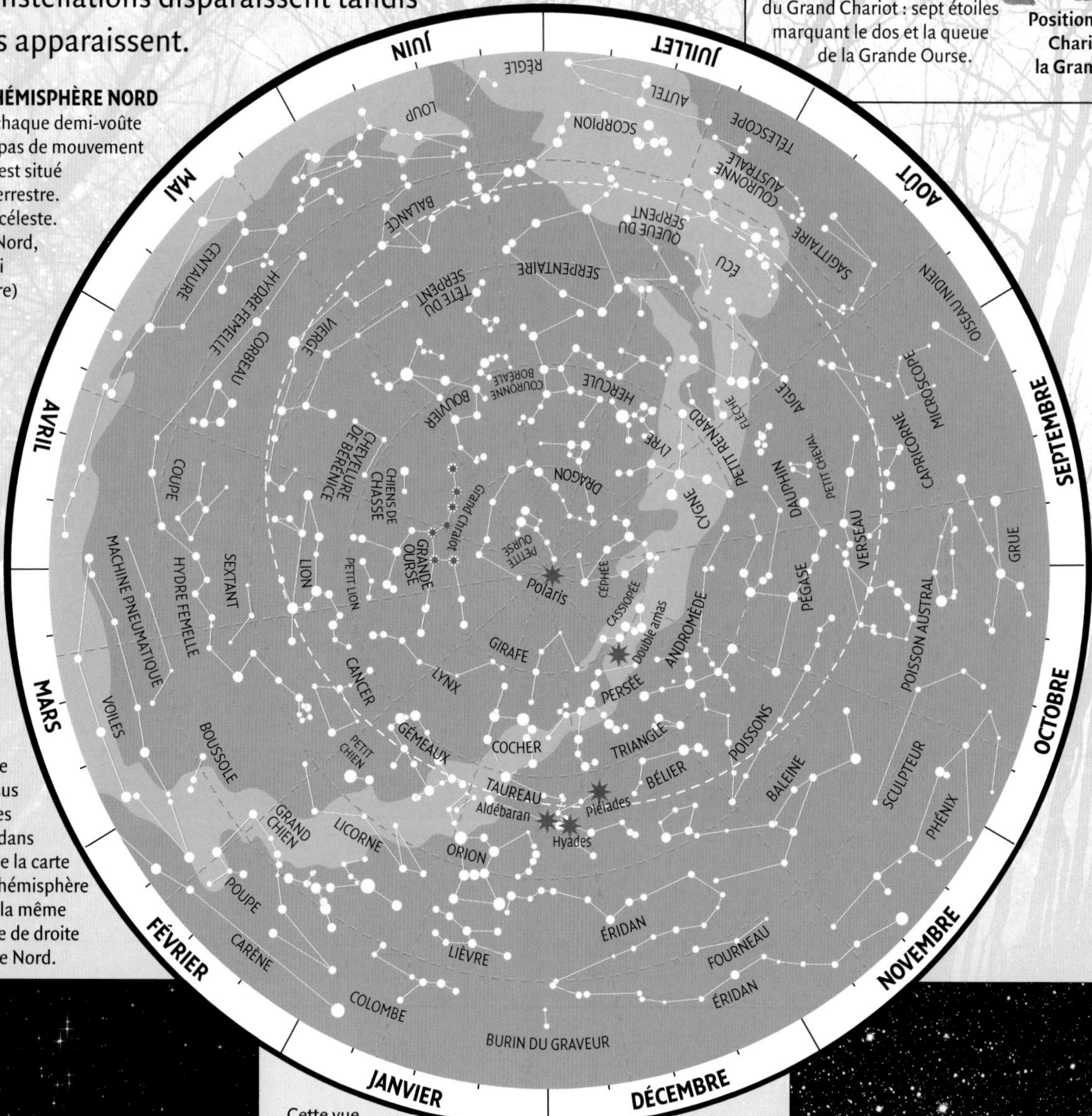

JUIN • JUILLET • AOÛT • SEPTEMBRE • OCTOBRE • NOVEMBRE • DÉCEMBRE • JANVIER • FÉVRIER • MARS • AVRIL • MAI

RÈGLE • LOUP • AUTEL • SCORPION • TÉLESCOPE • COURONNE AUSTRALE • BALANCE • QUEUE DU SERPENT • SERPENTAIRE • ÉCU • SAGITTAIRE • OISEAU INDIEN • CENTAURE • TÊTE DU SERPENT • VIERGE • CORBEAU • MICROSCOPE • CHEVELURE DE BÉRÉNICE • HYDRE FEMELLE • CHIENS DE CHASSE • BOUVIER • COURONNE BORÉALE • HERCULE • FLÈCHE • AIGLE • CAPRICORNE • PETIT RENARD • LYRE • DAUPHIN • PETIT CHEVAL • VERSEAU • GRAND CHARIOT • DRAGON • CYGNE • PÉGASE • POISSON AUSTRAL • GRUE • COUPE • PETITE OURSE • GRANDE OURSE • CÉPHÉE • CASSIOPÉE • ANDROMÈDE • POISSONS • SEXTANT • MACHINE PNEUMATIQUE • LION • PETIT LION • LYNX • GIRAFE • Polaris • Double amas • PERSÉE • TRIANGLE • BÉLIER • BALEINE • SCULPTEUR • PHÉNIX • VOILES • CANCER • GÉMEAUX • COCHER • ANDROMÈDE • BOUSSOLE • PETIT CHIEN • LICORNE • TAUREAU • Aldébaran • Pléiades • Hyades • GRAND CHIEN • ORION • ÉRIDAN • FOURNEAU • POUPE • CARÈNE • LIÈVRE • ÉRIDAN • COLOMBE • BURIN DU GRAVEUR

Cette vue de la constellation du Taureau montre la brillante Aldébaran, l'étoile en haut à gauche, juste au-dessus de l'amas plus faible des Hyades. L'amas d'étoiles à l'extrême droite est celui des Pléiades.

Le double amas de Persée, deux ensembles denses composés de centaines d'étoiles (de part et d'autre du centre de la photo), est visible dans la constellation du même nom.

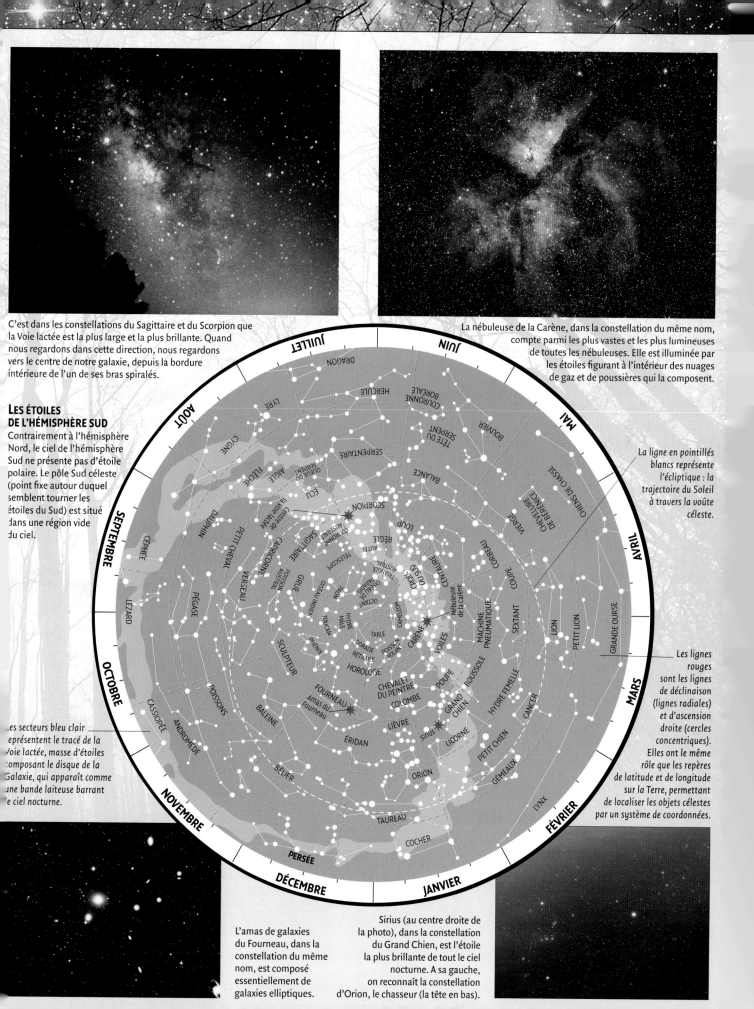

C'est dans les constellations du Sagittaire et du Scorpion que la Voie lactée est la plus large et la plus brillante. Quand nous regardons dans cette direction, nous regardons vers le centre de notre galaxie, depuis la bordure intérieure de l'un de ses bras spiralés.

La nébuleuse de la Carène, dans la constellation du même nom, compte parmi les plus vastes et les plus lumineuses de toutes les nébuleuses. Elle est illuminée par les étoiles figurant à l'intérieur des nuages de gaz et de poussières qui la composent.

LES ÉTOILES DE L'HÉMISPHÈRE SUD

Contrairement à l'hémisphère Nord, le ciel de l'hémisphère Sud ne présente pas d'étoile polaire. Le pôle Sud céleste (point fixe autour duquel semblent tourner les étoiles du Sud) est situé dans une région vide du ciel.

La ligne en pointillés blancs représente l'écliptique : la trajectoire du Soleil à travers la voûte céleste.

Les lignes rouges sont les lignes de déclinaison (lignes radiales) et d'ascension droite (cercles concentriques). Elles ont le même rôle que les repères de latitude et de longitude sur la Terre, permettant de localiser les objets célestes par un système de coordonnées.

Les secteurs bleu clair représentent le tracé de la Voie lactée, masse d'étoiles composant le disque de la Galaxie, qui apparaît comme une bande laiteuse barrant le ciel nocturne.

L'amas de galaxies du Fourneau, dans la constellation du même nom, est composé essentiellement de galaxies elliptiques.

Sirius (au centre droite de la photo), dans la constellation du Grand Chien, est l'étoile la plus brillante de tout le ciel nocturne. A sa gauche, on reconnaît la constellation d'Orion, le chasseur (la tête en bas).

UNE CHRONOLOGIE DE L'ASTRONOMIE

Âgé d'environ 13,75 milliards d'années, l'Univers s'est formé au cours du big bang, qui marque l'origine de l'espace, de l'énergie, de la matière et du temps. Depuis, il n'a cessé de s'étendre, de se refroidir et de se modifier. L'homme étudie l'Univers depuis des millénaires. Jadis, il observait les corps célestes à l'œil nu et analysait leurs mouvements. Puis il mit au point le télescope et les sondes spatiales. Ce n'est que très récemment qu'il est parvenu à reconstituer l'histoire de l'Univers de sa naissance à nos jours.

Les anneaux de Saturne, décrits correctement pour la première fois en 1655

La nébuleuse du Crabe, vestige d'une supernova ayant explosé en 1054

VERS 4000 AV. J.-C.
Les Egyptiens, les Chaldéens et la civilisation de l'Indus donnent des noms aux étoiles les plus brillantes et les rassemblent en constellations. Douze d'entre elles forment les constellations du zodiaque.

VERS 2000 AV. J.-C.
Premiers calendriers lunaires et solaires.

550 AV. J.-C.
Pythagore, mathématicien grec, suggère que le Soleil, la Lune, la Terre et les planètes sont sphériques.

360 AV. J.-C.
Le philosophe grec Aristote propose une théorie selon laquelle les planètes sont fixées sur des sphères de cristal en rotation, et toutes les étoiles sont situées à la même distance. Il affirme que l'Univers est immuable et constitué par la combinaison de quatre éléments : le feu, l'eau, la terre et l'air.

290 AV. J.-C.
En Grèce, l'astronome Aristarque démontre, en mesurant la durée des éclipses de Lune, que la distance entre la Terre et la Lune est égale à environ 31 fois le diamètre de la Terre, et que la taille de la Lune est un peu plus du quart de celle de la Terre.

150 AV. J.-C.
Hipparque mesure la longueur d'une année avec une précision de 6 minutes. Il catalogue la position et la luminosité des étoiles, et établit que l'orbite du Soleil autour de la Terre est elliptique après avoir observé que les saisons de la Terre sont de longueur inégale.

VERS L'AN 130
Ptolémée rédige l'*Almageste*, qui résume le savoir astronomique et mathématique de l'époque, et comporte une liste d'étoiles les plus lumineuses présentes dans 48 constellations.

VERS 800
Les astronomes arabes perfectionnent la science astronomique. Ils définissent l'écliptique (trajectoire du Soleil dans le ciel) et les périodes orbitales du Soleil, de la Lune et des planètes.

1054
Les astronomes chinois enregistrent l'explosion d'une supernova dans la constellation du Taureau. Ses vestiges constituent aujourd'hui la nébuleuse du Crabe (ci-contre).

1252
En Espagne, le roi Alphonse X commande l'établissement des tables alphonsines, qui listent les étoiles, les planètes et leur position.

1420
Le roi mongol Ulugh Beg fait bâtir un observatoire à Samarcande (aujourd'hui en Ouzbékistan). Son catalogue de la position des étoiles visibles à l'œil nu est le premier depuis celui d'Hipparque.

1543
Nicolas Copernic, astronome polonais, publie *De la révolution des sphères célestes*. Cet ouvrage annonce la fin de l'idée d'un Univers centré sur la Terre.

1572
L'astronome danois Tycho Brahe observe une supernova dans Cassiopée, et démontre qu'elle se situe au-delà de la Lune. Les étoiles ne se trouvent donc pas à distance fixe, mais sont des objets changeants existant dans un « espace ».

1609
L'astronome allemand Johannes Kepler établit deux grandes lois : d'une part, que les planètes ont des orbites elliptiques, le Soleil se situant à l'un des foyers de l'ellipse, d'autre part qu'une planète se déplace plus vite lorsqu'elle est proche du Soleil et plus lentement lorsqu'elle s'en éloigne.

William Herschel

1610
En Italie, Galilée publie les résultats de ses études à la lunette astronomique dans son ouvrage *Siderius Nuncius*. Il y montre que la Lune est montagneuse, que Jupiter possède quatre satellites, que le Soleil présente des taches et qu'il est en rotation. Galilée établit aussi que les phases de Vénus démontrent que le Soleil se trouve au centre d'un système et que c'est la Terre qui tourne autour de lui et non l'inverse, et déclare que la Voie lactée est constituée d'une myriade d'étoiles qui ne sont rien d'autres que des soleils très distants.

1619
Johannes Kepler établit sa troisième loi, qui décrit les relations mathématiques entre la période orbitale d'une planète et sa distance moyenne au Soleil.

1655
Christiaan Huygens, mathématicien et astronome hollandais, décrit correctement le système d'anneaux de Saturne et découvre l'un de ses satellites : Titan.

1675
Au Danemark, Ole Römer calcule la vitesse de la lumière d'après la durée d'éclipse des satellites de Jupiter.

1686
L'astronome anglais Edmond Halley montre que la comète qui porte son nom est périodique et fait partie du Système solaire. Elle revient près du Soleil tous les 76 ans.

1687
Isaac Newton, physicien anglais, publie sa théorie de la gravitation universelle dans son ouvrage *Philosophiæ Naturalis Principia Mathematica*. Cette dernière explique pourquoi les planètes sont en orbite autour du Soleil, et contient une estimation de la masse du Soleil et de la Terre.

1761 ET 1769
Les astronomes observent le transit de Vénus devant le Soleil et s'en servent pour calculer de façon précise la distance entre le Soleil et la Terre.

1769
Le premier retour prévu d'une comète (celle de Halley) démontre que les lois de la gravité s'étendent au moins jusqu'aux confins du Système solaire.

1781
L'astronome anglais William Herschel découvr la planète Uranus.

1784
Une liste de 103 objets d'aspect diffus est établie par le Français Charles Messier.

1785
William Herschel décrit la form de notre galaxie, la Voie lactée

1801
Giuseppe Piazzi, un moine italien, découvre Cérès, le premier astéroïde.

1815
Joseph von Fraunhofer, un opticien allemand, cartographie les lignes sombres du spectre solaire.

1838
L'astronome allemand Friedrich Bessel calcule que l'étoile 61 du Cygne est située à onze années-lumière. C'est la première fois que l'on mesure une distance hors du Système solaire.

1840
En Amérique, la Lune est photographiée par le chercheur John W. Draper. C'est la première fois que l'on utilise la photographie en astronomie.

1846
Neptune est découverte grâce aux lois de gravitation de Newton d'après les perturbations qu'elle entraîne dans l'orbite d'Uranus.

1864
En Angleterre, William Huggins, à l'aide d'un spectromètre, montre que les comètes contiennent du carbone et que les étoiles sont composées des mêmes éléments chimiques que la Terre.

1879
Le mathématicien et physicien autrichien Josef Stefan réalise que l'énergie totale irradiée par une étoile est proportionnelle à sa surface et à sa température en surface. La loi de Stephan va permettre l'estimation de la taille des étoiles.

1890
Près de 30 distances stellaires sont connues désormais, et les astronomes commencent à établir des statistiques stellaires.

1900
La découverte récente de la désintégration radioactive des éléments permet de comprendre que la Terre est âgée de plus d'un milliard d'années, et que le Soleil brille depuis une durée similaire.

1905
Albert Einstein propose son équation $E = mc^2$, qui signifie que de l'énergie (E) peut être produite par destruction de la masse (m) d'un corps. Cette découverte permet d'expliquer la façon dont l'énergie est produite dans les étoiles.

1910
En mettant en relation la température de surface des étoiles et leur luminosité, le Danois Ejnar Hertzsprung et l'Américain Henry Russell découvrent qu'il n'existe que deux grands groupes d'étoiles : les naines, comme notre Soleil, et les géantes, beaucoup plus grosses.

1912
L'astronome américaine Henrietta Leavitt découvre que la période s'écoulant entre deux pics d'intensité des étoiles céphéides – des géantes orange à variation périodique d'éclat – est liée à leur degré de luminosité. Cette relation peut être utilisée pour mesurer les distances stellaires.

1917
Le télescope Hooker de 2,50 m de diamètre du mont Wilson, en Californie, Etats-Unis, est mis en service. Il détecte des étoiles céphéides dans la nébuleuse d'Andromède, révélant qu'il s'agit en fait d'une galaxie. C'est la première fois que l'on découvre une galaxie autre que notre Voie lactée.

1980 : apparition des capteurs CCD

1920
L'Américain Harlow Shapley découvre que le Soleil se situe aux deux-tiers de la distance entre le centre et la bordure de notre Galaxie.

1925
Cecilia Payne-Gaposchkin, astronome anglo-américaine, démontre que 75 % de la masse d'une étoile sont constitués d'hydrogène.

1926
L'astrophysicien anglais Arthur Eddington découvre que durant la majeure partie de la vie d'une étoile, sa luminosité est directement dépendante de sa masse.

1927
L'Américain Edwin Hubble démontre que l'Univers est en expansion. Plus une galaxie est distante, plus elle s'éloigne vite.

1930
L'Américain Clyde Tombaugh découvre Pluton, alors classée parmi les planètes.

1931
Le physicien américain Karl Jansky détecte des ondes radio en provenance du centre de la Voie lactée.

Cecilia Payne-Gaposchkin, 1925

1931
Georges Lemaître, prêtre et scientifique belge, suggère que toute la matière présente dans l'Univers a débuté sous la forme d'une unique et minuscule sphère de très haute densité entrée soudain en expansion au cours d'un phénomène appelé big bang, et qui n'a cessé de se dilater depuis.

1939
Le physicien germano-américain Hans Bethe montre comment la destruction de l'hydrogène pour produire de l'hélium génère l'énergie stellaire.

1955
L'Anglais Fred Hoyle et son collègue allemand Martin Schwarzschild démontrent que l'hélium se transforme en carbone et en oxygène au sein des étoiles géantes, et comment des éléments plus lourds comme le cobalt et le fer sont produits lorsque des étoiles massives explosent en supernovae.

1963
Identification du premier quasar, nommé 3C48.

1965
Les Américains Arno Penzias et Robert Wilson découvrent le rayonnement cosmologique fossile, écho radiatif du big bang composé de micro-ondes.

1967
Jocelyn Bell-Burnell découvre le premier pulsar.

1971
Le premier trou noir, Cygnus X-1, est découvert d'après ses effets sur son étoile compagnon.

1980
En Amérique, Vera Rubin découvre que de nombreuses galaxies renferment de la matière sombre qui affecte leur vitesse de rotation.

1980
Le cosmologiste américain Alan Guth modifie la théorie du big bang. Il y introduit la notion d'inflation, au cours de laquelle le très jeune Univers se dilate instantanément de la taille d'un proton à celui d'une pastèque.

1980
Les caméras numériques à capteur CCD font leur apparition en astronomie. Leur efficacité à transformer la lumière en signaux électroniques est proche de 100 %.

1992
Le premier objet de la ceinture de Kuiper est découvert par l'Anglais David Jewitt et la Vietnamo-américaine Jane Luu.

1992
Découverte des premières exoplanètes, planètes situées en dehors du Système solaire, détectées autour du pulsar PSR 1257+12.

1995
Découverte de la première exoplanète en orbite autour d'une étoile de la séquence principale, 51 de Pégase.

2006
Introduction de la catégorie des planètes naines après la découverte d'Eris en 2005. Pluton est reclassée dans cette catégorie.

2008
Eris et Pluton sont qualifiées de plutoïdes : planètes naines en orbite au-delà de Neptune.

Eris, reclassifiée en 2006 et en 2008

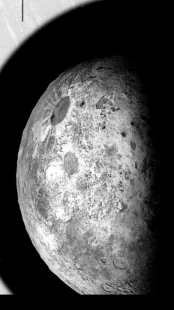

POUR EN SAVOIR PLUS

Les livres sont un moyen extraordinaire pour découvrir les merveilles de l'Univers, mais on ne fait pas de l'astronomie seulement dans un fauteuil. Observer soi-même le ciel nocturne permet d'en explorer les régions et de le voir changer au fil des mois, et l'on progressera plus vite en rejoignant une association d'astronomes amateurs. Pour élargir son champ de vision, rien ne vaut la visite des observatoires où les astronomes du passé ont fait de grandes découvertes et où les scientifiques travaillent avec des moyens modernes à répondre aux grandes questions d'aujourd'hui. Les musées et les centres spatiaux, enfin, racontent l'histoire de l'exploration spatiale.

Le centre spatial de Tanegashima, au Japon

CENTRES SPATIAUX, MUSÉES ET PARCS SCIENTIFIQUES

Les grands centres spatiaux renferment souvent des musées et des espaces visiteurs. Aux Etats-Unis ou au Japon, on peut y avoir la chance d'assister au décollage d'une fusée. En France, c'est plus compliqué parce que notre centre de lancement spatial n'est pas situé sur le territoire métropolitain mais à Kourou, en Guyane. Il y a toutefois beaucoup à découvrir dans les musées et parcs scientifiques, qui sont souvent des lieux de haute technologie où tout est fait pour offrir au public des expériences inoubliables. Ainsi, à la Cité de l'espace de Toulouse, le Géoscope simule un voyage en orbite autour de la Terre et on peut y voir des vaisseaux spatiaux comme la station spatiale russe Mir et la capsule russe Soyouz grandeur nature.

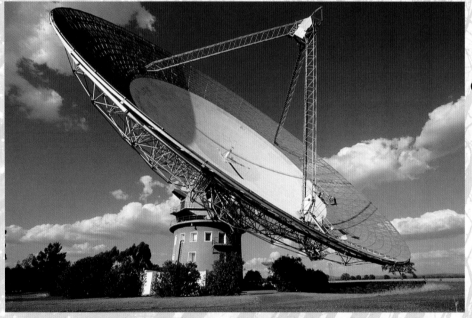

Le radiotélescope de Parkes, en Australie

LES RADIOTÉLESCOPES

Les radiotélescopes ne fournissent pas d'images optiques directes des astres qu'ils observent. Ils les étudient à travers leurs émissions radioélectriques. Ils sont donc constitués d'antennes immenses pour capter les signaux souvent très faibles venus de l'espace. Cette approche différente de l'astronomie est extrêmement intéressante pour l'amateur passionné, d'autant que les grands radiotélescopes disposent aussi de leur espace visiteurs, comme l'Espace ciel ouvert en Sologne du radiotélecope de Nançay, dans le Cher, en France.

BONNES ADRESSES

- **Cité de l'espace**, avenue Jean Gonord, B.P. 25855, 31506 Toulouse Cedex 5 – Tél. : 0 820 377 223

- **Cité des sciences et de l'industrie** Parc de La Villette, 30 avenue Corentin-Cariou 75019 Paris – Tél. : 01 40 05 80 00

- **Observatoire-planétarium des monts de Guéret**, Parc animalier des monts de Guéret, 23000 Sainte-Feyre – Tél. : 05 55 81 23 23

- **La Ferme des étoiles**, Au Moulin du Roy, 32500 Fleurance – Tél. : 05 62 06 09 76

- **Espace ciel ouvert en Sologne** (planétarium, station de radioastronomie de Nançay) Route de Souesmes, 18330 Nançay Tél. : 02 48 51 18 16

- **Observatoire Midi-Pyrénées pic du Midi** 14 avenue Edouard Belin, 31400 Toulouse Tél. : 05 61 33 29 29

- **Observatoire de Meudon** 5 place Jules Janssen, 92190 Meudon Tél. : 01 45 07 74 73

LES OBSERVATOIRES ET LES CENTRES ASTRONOMIQUES

Les observatoires professionnels, tels ceux de Paris, de Meudon ou d'ailleurs, sont des centres scientifiques. On peut souvent les visiter pendant la journée, heures pendant lesquelles les chercheurs ne travaillent généralement pas. L'observatoire du pic du Midi, dans les Pyrénées, est accessible au public depuis 2000 grâce à l'installation d'un téléphérique. Les observatoires amateurs appartiennent le plus souvent à des associations qui les gèrent. Ils sont animés par des astronomes amateurs passionnés, souvent bénévoles mais non moins chevronnés, qui savent faire partager leur passion aux visiteurs.

Observatoire de Yerkes, aux Etats-Unis

QUELQUES SITES INTERNET

- Le premier site que tout passionné des étoiles et d'astronomie doit consulter est celui de *Ciel et Espace*, la revue de l'Association française d'astronomie (AFA) : **www.cieletespace.fr**

  Le site donne également accès à «Ciel et Espace Radio», **www.cieletespaceradio.fr**, qui regorge de podcasts passionnants ; des heures d'écoute sur tous les thèmes de l'astronomie, en compagnie des chercheurs, en *streaming* ou à télécharger en mp3.

- Le site de l'Association française d'astronomie (AFA), une mine d'information pour tous les astronomes amateurs : **www.afanet.fr**

  Il renferme notamment un annuaire complet de tous les clubs, associations, planétariums, stations de nuit, observatoires, etc., de France, avec leurs adresses, numéros de téléphone, sites Internet et adresses électroniques. On y trouve aussi des actualités de l'espace et des ateliers pratiques accompagnés de leurs fiches téléchargeables.

  Toute l'actualité et l'activité de l'Agence spatiale européenne (ESA), les missions en cours et celles à venir : **www.esa.int/esaCP/France.html**

  Les pages ESAKids s'adressent plus particulièrement à la jeunesse : **www.esa.int/esaKIDSfr/index.html**

- Toute l'actualité et l'activité du Centre national d'études spatiales (CNES), pour les passionnés d'astronautique : **www.cnes.fr/web/CNES-fr/6919-cnes-tout-sur-l-espace.php**

- Introduction à l'astronomie, un site encyclopédique généraliste, abordable et précis : **www.astronomes.com/index.html**

- Ciel des Hommes, un site généraliste pour astronomes de tous horizons, débutants comme chevronnés, très complet avec toute l'actualité de l'astronomie et, entre autres, une carte du ciel interactive : **www.cidehom.com**

  Le site de la section française de The Mars Society, association «d'encouragement pour l'exploration de la planète Mars et l'accession de l'homme à ce monde» : **www.planete-mars.com**

- Google Moon (en anglais), reprend le principe de Google Earth adapté à la Lune, avec des gros plans sur les sites d'alunissage des missions Apollo : **www.google.com/moon**

- The Hubble Heritage Project (en anglais), présente une vaste collection de photographies magnifiques et saisissantes réalisées grâce au télescope spatial Hubble : **heritage.stsci.edu**

Au planétarium de Mexico City

LES PLANÉTARIUMS

Les planétariums sont des appareils très complexes qui projettent des points lumineux représentant les étoiles sur la face intérieure d'un dôme. Ils offrent ainsi au public, assis dans des fauteuils, un véritable voyage dans la voûte céleste. A mesure que la lumière tombe, le ciel étoilé, les constellations et leurs mouvements se révèlent au yeux des visiteurs. Puis un voyage éclair à travers l'espace les transporte aux abords des planètes pour une observation en gros plan.

Le tube optique héberge les miroirs qui collectent et concentrent la lumière des astres.

Ouverture par où pénètre la lumière

Lunette de pointage pour aligner le télescope sur l'objet à observer

Oculaire

Télescope personnel portatif pour usage dans un jardin ou en pleine campagne

La monture supporte le télescope et le maintient pointé vers l'objet à observer, en pivotant pour compenser la rotation de la Terre.

Trépied

Observation aux jumelles

L'ASTRONOMIE À LA MAISON

Par une nuit sans lune et sans nuages, on peut observer à l'œil nu depuis une ville moyenne environ 300 étoiles, et dix fois plus dans un secteur rural dépourvu d'éclairage public parasite. Une simple paire de jumelles, en amplifiant la luminosité des objets célestes, permet d'en découvrir beaucoup plus. Les jumelles se prêtent bien à l'observation de la Lune, des amas et des grands champs stellaires. Les lunettes et télescopes, quant a eux, atteignent des grossissements permettant les observations planétaires. Voir de ses propres yeux à travers un télescope les détails de la Lune, Jupiter et sa Grande Tache rouge ou encore Saturne et ses anneaux, permet un contact plus concret qu'à travers les images des livres ou de la télévision. Les premières observations laissent même parfois des impressions si fortes qu'elles peuvent susciter des vocations.

LES ASSOCIATIONS D'AMATEURS

Observer les étoiles en groupe est très amusant, et c'est un excellent moyen d'apprendre. Les associations nationales, régionales et locales d'astronomes amateurs éditent des publications et organisent des réunions et manifestations pour leurs adhérents. Certaines ont leur propre observatoire et assurent des cessions d'observation régulières. Les astronomes professionnels leur rendent souvent visite pour des conférences.

GLOSSAIRE

AMAS Groupe d'étoiles ou de galaxies maintenues réunies dans l'espace par la gravité.

AMAS GLOBULAIRE Amas quasi sphérique d'étoiles âgées rencontré essentiellement dans le halo des galaxies.

AMAS LOCAL Groupe de plus de 40 galaxies auquel appartient la Voie lactée.

ANNÉE-LUMIÈRE Unité de distance astronomique correspondant à la distance parcourue par la lumière en une année. Elle équivaut à 9 460 milliards km.

ASTÉROÏDE Petit corps rocheux en orbite autour du Soleil. La plupart des astéroïdes gravitent dans la ceinture située entre Mars et Jupiter.

ASTRONOMIE Science étudiant tout ce qui se trouve dans l'espace, y compris l'espace lui-même.

ATMOSPHÈRE Couche de gaz située autour d'une planète, l'un de ses satellites, ou au-delà de la photosphère d'une étoile, maintenue en place par la gravité.

AURORE BORÉALE OU AUSTRALE Voiles lumineux colorés dus à l'arrivée massive de particules du vent solaire, qui provoquent la luminescence des gaz de la haute atmosphère au-dessus des pôles d'une planète.

BIG BANG Explosion au cours de laquelle se forma l'Univers. Origine de l'espace, du temps et de la matière.

BRILLANCE Voir *Luminosité* et *Magnitude*.

CEINTURE DE KUIPER Ceinture de forme aplatie constituée par la réunion de nombreux corps rocheux et glacés en orbite autour du Soleil au-delà de Neptune.

CÉPHÉIDE Type d'étoile variable (voir ce terme) dont la brillance varie de façon régulière dans le temps à mesure que l'étoile se dilate et se contracte alternativement.

COMÈTE Petit corps céleste composé de glace et de poussières constituant un noyau en orbite autour du Soleil au-delà des planètes. Lorsqu'elle s'approche du Soleil, sous l'effet de la chaleur, une comète développe deux longues queues, l'une composée de gaz, l'autre de poussières.

CONSTELLATION L'une des 88 régions du ciel, dont les étoiles les plus brillantes forment un motif imaginaire.

COSMOLOGIE Étude de l'Univers dans son ensemble, de ses origines et de son évolution.

COURONNE SOLAIRE Région la plus externe de l'atmosphère du Soleil.

CRATÈRE Dépression en forme de cuvette à la surface d'une planète ou d'un satellite. Un cratère

Comète McNaught, 2007

d'impact est dû à la chute d'une météorite ; un cratère volcanique est une bouche éruptive par où un volcan éjecte ses matériaux.

CYCLE SOLAIRE Cycle de variation régulier de onze années de l'activité du Soleil.

Cratère Barringer, en Arizona, Etats-Unis

DIAGRAMME DE HERTZSPRUNG-RUSSELL, dit H-R Diagramme classifiant les étoiles en fonction de leur luminosité et de la température régnant à leur surface, faisant ressortir les différentes classes d'étoiles telles que les géantes et les naines.

ÉCLIPSE Phénomène dû au passage d'un corps céleste dans l'ombre d'un autre corps. Lors d'une éclipse solaire, la Lune recouvre le disque solaire et projette son ombre sur la Terre. Lors d'une éclipse lunaire, la Terre s'intercale entre le Soleil et la Lune, projetant son ombre sur cette dernière.

ÉCLIPTIQUE Cercle imaginaire sur la sphère céleste représentant la trajectoire apparente du Soleil dans le ciel vu de la Terre. Dans les faits, le plan défini par l'écliptique est celui qui contient l'orbite de la Terre autour du Soleil.

ÉNERGIE SOMBRE Mystérieuse forme d'énergie qui constituerait 73 % de l'Univers et qui gouvernerait son expansion.

ESPACE Milieu dans lequel se déplacent les objets célestes.

ÉTOILE Énorme sphère en rotation constituée de gaz très chauds et très lumineux, générant de l'énergie par les réactions nucléaires qui se déroulent dans son noyau.

ÉTOILE À NEUTRONS Étoile compacte et ultradense issue du noyau d'une étoile géante ayant explosé en supernova.

ÉTOILE DE LA SÉQUENCE PRINCIPALE Étoile semblable au Soleil, brillant de façon stable en convertissant l'hydrogène en hélium, figurant dans la séquence principale du diagramme de Hertzsprung-Russell (voir ce terme).

ÉTOILE DOUBLE Paire d'étoiles dont chacune gravite autour du centre de masse, ou barycentre, du système binaire qu'elles constituent.

ÉTOILE DOUBLE OPTIQUE Deux étoiles qui, vues depuis la Terre, apparaissent très proches l'une de l'autre, mais qui sont, en réalité, physiquement séparées et distantes l'une de l'autre, ne formant pas un système binaire.

ÉTOILE VARIABLE Étoile dont la luminosité varie dans le temps, par exemple en se dilatant et se contractant (voir *Céphéide* et *Nova*).

EXOPLANÈTE, ou PLANÈTE EXTRASOLAIRE Planète en orbite autour d'une étoile autre que le Soleil.

FUSION NUCLÉAIRE Processus en jeu dans le noyau des étoiles, par lequel des noyaux d'atomes

se rassemblent pour former des noyaux plus gros en libérant une énergie considérable.

GALAXIE Groupe de quelques centaines de milliards d'étoiles en moyenne, de gaz et de poussières interstellaires, maintenus rassemblés par la gravité. Le Soleil est l'une des étoiles de notre Galaxie, la Voie lactée.

GALAXIE ACTIVE Galaxie émettant une exceptionnelle quantité d'énergie dont l'essentiel provient d'un trou noir supermassif situé en son centre.

GALAXIE DE SEYFERT Galaxie active (voir ce terme) en spirale dotée d'un noyau exceptionnellement lumineux et compact.

GALAXIE IRRÉGULIÈRE Galaxie, souvent de petite taille, ne présentant pas de structure ou de forme particulière.

GALAXIE LENTICULAIRE Galaxie en forme de lentille convexe.

GALAXIE SPIRALE Galaxie dont le disque est formé par des bras spiralés s'enroulant autour d'un renflement central dense constitué d'étoiles. La Voie lactée est une galaxie spirale.

GALAXIE SPIRALE BARRÉE Galaxie dont les bras spiralés naissent aux deux extrémités d'un noyau central en forme de barre.

La planète géante gazeuse Neptune

GÉANTE GAZEUSE Grosse planète constituée essentiellement d'hydrogène et d'hélium à l'état gazeux au niveau de sa surface visible. Jupiter, Saturne, Uranus et Neptune sont les géantes gazeuses du Système solaire.

GÉANTE ROUGE Dernier stade de la vie d'une étoile comme le Soleil, devenant une gigantesque étoile lumineuse et rouge.

GRAVITÉ Force d'attraction exercée par les corps et qui est présente à travers tout l'Univers.

LUMINOSITÉ Quantité d'énergie émise chaque seconde par une étoile sous forme de rayonnements.

LUNE Nom propre donné au satellite naturel de la Terre. On l'utilise aussi comme nom commun pour désigner les satellites des autres planètes, des planètes naines ou des astéroïdes.

MAGNITUDE Brillance d'un objet céleste exprimée par une échelle de nombres. Les objets très brillants sont affectés de nombres bas, parfois négatifs, les objets peu brillants de nombres élevés. Donc plus la brillance d'un astre est faible, plus sa magnitude est élevée. La magnitude apparente est la mesure de la brillance vue de la Terre. La magnitude absolue est la mesure de la brillance réelle d'un objet.

MASSE   Quantité de matière constituant un objet.

MATIÈRE INTERSTELLAIRE   Gaz et poussières présents dans l'espace autour des étoiles dans une galaxie.

MATIÈRE NOIRE   Matière invisible qui constituerait 23 % de l'Univers. Elle n'émet pas, ou extrêmement peu, d'énergie, mais sa gravité affecte ce qui l'entoure.

MÉTÉORE   Aussi appelé étoile filante, c'est la traînée lumineuse laissée dans le ciel par un météoroïde (voir ce terme) pénétrant et se consumant dans la haute atmosphère.

MÉTÉORITE   C'est ce qui reste d'un météoroïde (voir ce terme) qui, après avoir traversé l'espace, est tombé à la surface d'une planète ou d'un satellite. Dans les cas des planètes pourvues d'une atmosphère comme la Terre, c'est ce qui reste du météoroïde lorsque celui-ci ne s'est pas totalement consumé en traversant l'atmosphère.

MÉTÉOROÏDE   Petit bloc rocheux provenant d'un astéroïde, parfois d'une comète, d'un satellite ou d'une planète, dérivant dans l'espace.

NAINE BLANCHE   Stade final de la vie d'une étoile, formant un petit corps terne ayant cessé de générer de l'énergie par des réactions nucléaires.

NAINE BRUNE   Étoile dont la masse est trop faible pour que s'initie en son sein le processus de fusion nucléaire qui alimente une étoile normale.

NÉBULEUSE   Vaste nuage de gaz et de poussières interstellaires (voir *Nébuleuse planétaire*).

NÉBULEUSE PLANÉTAIRE   L'un des derniers stades de la mort d'une étoile. C'est l'enveloppe de gaz incandescent éjectée par une géante rouge avant de se contracter en naine blanche .

NOVA   Étoile naine blanche qui, dans un système binaire, aspire la matière de son étoile compagnon et se constitue ainsi une atmosphère. Quand celle-ci

Fragment de météorite

devient assez dense, elle émet une énergie lumineuse telle qu'elle devient des milliers de fois plus brillante.

NOYAU   Nom donné au corps d'une comète, à la masse centrale d'une galaxie ou au corps central d'un atome.

NUAGE D'OORT   Vaste sphère constituée de milliards de comètes enveloppant le Système solaire.

ORBITE   Trajectoire suivie par un satellite naturel ou artificiel autour d'un corps céleste de masse plus grande.

PHOTOSPHÈRE   Surface gazeuse mais visible du Soleil ou d'une autre étoile.

PLANÈTE   Corps massif sphérique ou quasi sphérique en orbite autour d'une étoile, n'émettant pas sa propre lumière mais éclairé par son étoile.

PLANÈTE NAINE   Corps quasi sphérique en orbite autour du Soleil, faisant partie d'une ceinture d'objets célestes.

PLANÈTE TELLURIQUE   Planète rocheuse du Système solaire. Il y en a quatre : Mercure, Vénus, la Terre et Mars.

PROTO-ÉTOILE   Stade précoce de la formation d'une étoile : une masse de gaz se contracte sous l'effet de la gravité pour former une étoile, mais la fusion nucléaire ne s'est pas encore mise en place dans le noyau.

PULSAR   Étoile à neutrons (voir ce terme) en rotation rapide qui émet des faisceaux de rayonnement à travers l'espace, captés depuis la Terre sous la forme de brèves impulsions, comme les éclats d'un phare.

QUASAR   Galaxie active (voir ce terme) émettant une énorme quantité d'énergie par sa région centrale de faible dimension, comptant parmi les objets les plus lointains et les plus lumineux de l'Univers.

RADIOGALAXIE   Galaxie active (voir ce terme) émettant une quantité exceptionnelle de rayonnements dans la gamme des ondes radio.

RAYONNEMENT ÉLECTROMAGNÉTIQUE
Gamme d'ondes énergétiques émises par les objets célestes. Il regroupe les rayons gamma, les rayons X, les ultraviolets,

Nébuleuse de l'Œil de chat (NGC 6543), une nébuleuse planétaire

la lumière visible, les infrarouges, les ondes radar, les micro-ondes et les ondes radioélectriques.

SATELLITE   Corps céleste naturel en orbite autour d'un autre corps plus massif. Nom donné également aux appareils fabriqués par l'homme et placés en orbite autour de la Terre ou d'autres corps célestes.

SUPERAMAS   Groupe d'amas de galaxies. La Voie lactée appartient à l'amas de galaxies appelé Amas (ou Groupe) local, lui-même membre du Superamas local.

SUPERGÉANTE   Étoile très grosse et très lumineuse.

SUPERNOVA   Se forme lorsqu'une étoile supergéante explose en devenant subitement jusqu'à un million de fois plus lumineuse que d'ordinaire. Elle donne naissance à un nuage de débris constituant les vestiges de la supernova.

SYSTÈME SOLAIRE   Système constitué par le Soleil et tous les objets tenus captifs par sa gravité, donc en orbite autour de lui.

TACHE SOLAIRE   Région sombre et plus froide se formant à la surface visible du Soleil ou d'une autre étoile.

TÉLÉSCOPE   Instrument utilisant des miroirs et des lentilles pour recueillir et concentrer la lumière visible afin de former une image d'un objet distant. Certains

Galaxie spirale NGC 4414

télescopes captent d'autres longueurs d'ondes électromagnétiques telles que les ondes radio (radiotélescopes) ou les infrarouges.

TROU NOIR   Région extrêmement dense de l'espace dans laquelle toute la masse d'un objet céleste s'est effondrée et dont la force gravitationnelle est devenue si forte que rien, pas même la lumière, ne peut s'en échapper. Certains trous noirs sont dus à l'effondrement d'une unique étoile, mais les trous noirs supermassifs situés dans le noyau des galaxies résultent de l'effondrement de nombreuses étoiles.

TYPE SPECTRAL   Classification d'une étoile en fonction des lignes de son spectre lumineux. Les principaux types sont désignés par les lettres O, B, A, F, G, K et M.

UNIVERS   Ensemble de tout ce qui existe – galaxies, étoiles, planètes, espace qui les contient, la Terre et tout ce qui est présent à sa surface – et des lois qui régissent cet ensemble.

VITESSE DE LA LUMIÈRE   Vitesse invariable à laquelle se déplacent la lumière et tous les rayonnements électromagnétiques (voir ce terme). Elle est très précisément de 299 792,458 kilomètres par seconde.

VOIE LACTÉE   Galaxie spirale dans laquelle se trouvent notre Soleil et la Terre. Son disque est visible par la tranche, la nuit, sous la forme d'une large bande laiteuse traversant la voûte céleste.

NOTES

Dorling Kindersley tient à remercier : Darren Naish et Mark Longworth pour l'extraterrestre d'Epsilon b du réticule p. 63 ; Peter Bull pour les autres dessins ; Jonathan Brooks et Sarah Mills pour la recherche d'iconographie additionnelle. Pour la présente édition, l'éditeur souhaite également remercier : Carole Stott pour l'assistance à la mise à jour ; Lisa Stock pour l'assistance éditoriale ; Monica Byles et Stewart J. Wild pour la relecture des épreuves.

ICONOGRAPHIE

a = au-dessus ; b = bas/en dessous ; c = centre ; x = extrême ; g = gauche ; d = droite ; h = haut

Agence France Presse : 52bg. AKG-images : 39hd, 45bd ; Cameraphoto 40hg. Alamy Image : Classic Image 66b ; Danita Delimont / Russell Gordon 69hc. Anglo-Australian Observatory : David Malin 51hd. The Art Archive : Musée du Louvre Paris / Dagli Orti (A) 27cd. Bridgeman Art Library, Londres/New York : Archives Charmet 47bd. British Museum : 6bg. © CERN Genève : 2hd, 10bg. Corbis : 62bc ; Lucien Aigner 14hg ; Yann Arthus-Bertrand 8cg ; Bettmann 3hg, 7hd, 12bg, 18hg, 32cg, 59bd, 67cg ; Araldo de Luca 20hg ; Dennis di Cicco 40-41c ; Paul Hardy 14cgb ; Charles & Josette Lenars 70hc ; NASA 8cgb, 39bd ; Michael Neveux 4cd, 6c ; Robert Y. Ono 45bg ; Enzo et Paolo Ragazzini 6bc ; Roger Ressmeyer 4cg, 13hg, 17hc, 62cd, 68bd, 68cg, 69bg ; Paul A. Souders 29hd ; Collection Stapleton 45cd ; Brenda Tharp 53cga ; Robert Yin 29bd. DK Images : Natural History Museum, Londres 71hc. Agence spatiale européenne : 11cdb ; D. Ducros 17bg ; ISO / ISOCAM / Alain Abergel 11bd ; NASA 40c. © Stéphane Guisard : 70bg. Avec l'aimable autorisation de JAXA : 68hd. Mary Evans Picture Library : 8hg, 26bc, 27cdb, 31bd, 41cd, 56hg, 63bg ; Alvin Correa 31bd. Galaxy Picture Library : 25hg, 56cg, 57c, 57bd, 59cda. Getty Images : Barros et Barros 12hg ; Sean Hunter : 29cda. Kobal Collection : Universal 31c. FLPA – Images de nature : B. Borrell 22cb, 22cdb. NASA : 2b, 2cg, 3c, 3hd, 5hd, 9c, 9bg (x6), 11hg, 16bd, 17bd, 18cg, 18c, 19hd, 23hd, 23ca, 23cd, 23bd, 26, 27hd, 27bd, 27hd, 28cg, 29cd, 30bd, 31cd, 31ac, 33hd, 33bg, 35cda, 35bg, 35bc, 35ac, 37cd, 38-39c, 50-51b, 55bd ; Craig Atteberry 35bd ; AURA / STScI 49hd ; Boomerang Project 13c ; Carnegie Mellon University 39cd ; W.N. Colley et E. Turner (Princeton University), J. A. Tyson (Bell Labs, Lucent Technologies) 15cd ; CXC / ASU/J Joye 52bd ; CXC et The Hubble Heritage Team (STScI / AURA) 47bc ; HST Comet Science Team 32bc ; Institute of Space and Astronautical Sciences, Japan 21hd ; JHUAPL 39hg,

39hc ; JPL 8ca, 32c, 32bg, 33hc, 33cda, 33c, 33ac, 36cgb, 36bc, 18bg, 66cga, 66hd, 7ocd ; JPL / University of Arizona 32-33 ; JSC 62cg ; NASA HQ-GRIN 71cd ; NOAO, ESA et The Hubble Heritage Team (STScI / AURA) 47hd ; SOHO 20bg ; Avec l'aimable autorisation de SOHO / Extreme Ultraviolet Imaging Telescope (EIT) consortium 21bg ; STScI 7bc, 9hd, 43hg, 48b, 49cd, 49bd, 58-59c, 59hc, 59bg, 60cg, 60bg, 60bd, 61bd ; STScI / COBE / DIRBE Science Team 8bg ; TRW 60cd ; Dr. Hal Weaver and T. Ed Smith (STScI) 40bg. Musée de la Poste, Paris : 37c. National Maritime Museum : 4hd, 7cda, 43bc ; NOAA : OAR / National Undersea Research Program (NURP) 62hg. NOAO / AURA / NSF : N.A.Sharp 58 ; Pikaia : 2cda, 2cdb, 4hg, 6-7, 9cg, 12bc, 14bg, 14-15, 15bd, 24-25, 26hd, 27hc, 29hc, 30g, 31hd, 31cg, 36g, 37hc, 37bc, 37bd, 44bg, 48hg, 49hg, 52cg, 53b, 56bg, 61c, 62bg, 62bd, 64bd, 65hd. Vicent Peris (OAUV / PTeam), astrophotographe de l'observatoire astronomique de l'Université de Valence (OAUV) : MAST, STScI, AURA, NASA – Image traitée à l'aide de PixInsight à OAUV. Basée sur des observations réalisées à l'aide du NASA / ESA Hubble Space Telescope, obtenue par le Space Telescope Science Institute, animé par Association of Universities for Research in Astronomy, Inc., sous contrat avec la NASA NAS 5-26555. 71bg. Photolibrary : Corbis 64-71 (arrière-plan). Science Photo Library : 10cg, 31bg, 31bg, 34bd, 38bg ; Michael Abbey 39bg ; Propriété de Francis Bello 60hg ; Lawrence Berkeley Laboratory 15cdb ; Dr Eli Brinks 55hd ; Celestial Image Co. 47c, 65bg ; Luke Dodd 46bg ; Bernhard Edmaier 28cg ; Dr Fred Espenak 6-7, 8-9, 26bg ; Mark Garlick 19hg, 43hd, 67bd ; D Golimowski, S.Durrance & M.Clampin 49cg ; Hale Observatories 52hd ; David A Hardy 12-13, 36c, 51bd ; Harvard College Observatory 19bd, 43bd ; Jerry Lodriguss 64bg ; Claus Lunau / FOCI / Bonnier Publications 41bg ; Maddox, Sutherland, Efstathiou & Loveday 9bd ; Allan Morton / Dennis Milon 54bg ; MPIA-HD, Birkle, Slawik 7cd, 57hc ; NASA 13hd, 28bg, 44bc ; National Optical Astonomy Observatories 21cda ; Novosti Press Agency 41cda ; David Parker 67hc ; Ludek Pesek 34cg ; Detlev Van Ravensswaay 38cg ; Royal Observatory, Edinburgh / AAO 46-47 ; Rev. Ronald Royer 20-21h ; John Sanford 16bg, 42cdb ; Robin Scagell 52bd ; Jerry Schad 65hg ; Dan Schechter 14cg ; Dr Seth Shostak 63hg ; Eckhard Slawik 64hd ; Joe Tucciarone 54-55c. Babak A. Tafreshi : 65bd.Toute autre illustration © Dorling Kindersley Couverture : © Dorling Kindersley Ltd sauf 1er plat : Soleil : Nasa ; Dos : Voie lactée : Nasa ; 4e plat : Neptune et Voie lactée : Nasa.

Nous nous sommes efforcés de retrouver les propriétaires des copyrights. Nous nous excusons pour tout oubli involontaire. Nous effectuerons toute modification éventuelle dans nos prochaines éditions.

Comité éditorial : Londres : Linda Martin, Simon Webb, Linda Esposito, Andrew Macintyre et Jane Thomas. Paris : Christine Baker, Thomas Dartige et Eric Pierrat. Pour l'édition originale : Édition : Giles Sparrow et Kitty Blount ; Responsables artistiques : Tim Brown et Martin Wilson ; Maquettiste PAO : Siu Yin Ho ; Iconographie : Sean Hunter ; Fabrication : Eric Rosen ; Conseiller : Jonathan Romain. Édition française traduite et adaptée par Izabel Tognarelli et Bruno Porlier ; Conseiller : Philippe Henarejos ; Édition : Bruno Porlier ; Responsable éditorial : Éric Pierrat ; Préparation : Isabelle Haffen ; Correction : Sylvette Tollard ; Index : Isabelle Haffen ; PAO : Bruno Porlier ; Maquette de couverture : Marguerite Courtieu ; PAO : Olivier Brunot ; Correction : Lorène Bücher ; Suivi éditorial : Éric Pierrat ; Site Internet associé : Bénédicte Nambotin, Ariane Michaloux, Françoise Favez et Eric Duport. Supplément (p. 64 à 71) traduit et mis en page par Bruno Porlier et corrigé par OlivierBabarit.